UNE SAISON EN STUDIO

UNE SAISON EN STUDIO

Claude Jasmin

guérin littérature

Dépôt légal, 2e trimestre 1987
ISBN-2-7601-1845-2
Bibliothèque nationale du Québec
Bibliothèque nationale du Canada
IMPRIMÉ AU CANADA

Prologue

«Silence partout! On enregistre!»... J'aurai entendu cet appel — un petit frisson d'appréhension chaque fois — vingt-six fois. C'est l'ultimatum classique de tous les studios, cinéma ou télévision, radio aussi. Partout dans le monde, à un moment donné, quelqu'un entend ce cri: «Silence partout...» Depardieu ou Jane Fonda, Daniel Lavoie ou Carole Laure, vedette ou simple lecteur d'un bulletin de dernière heure. Une femme, ou un homme, paire d'écouteurs sur les oreilles, lève une main d'abord, émet son ordre: «Silence partout... s'il vous plaît... » et pointe un index — comme une menace, fusil, revolver — en direction d'un artiste, d'un homme politique... voire d'un chroniqueur en fine cuisine. Ou en botanique.

J'étais animateur de télé. J'avais peur, j'avais froid dans le dos. C'était le premier août 1986, c'était la première fois de ma vie que je devais présenter et questionner des gens. Expliquer pourquoi ils étaient invités ensemble dans mon studio, les faire se parler entre eux, les interrompre chaque dix minutes pour une «pause commanditée» de deux minutes... J'avais les mains brûlantes, j'étais tendu vers ce jeune homme qui s'est approché d'une des trois caméras. Son regard me transperçait. Il avait peur lui aussi peut-être? Un regard dur, trop dur. Il n'avait pas trop confiance en moi, le débutant aux cheveux poivre et sel, peut-être? Il ouvre enfin la bouche et la sentence éclate: «Silence partout! C'est un enregistrement! Dix secondes, neuf...»

Quelle frousse la première fois! Combien d'êtres humains ont éprouvé, éprouvent ou éprouveront ce moment terrifiant? Dans quelle galère je m'étais embarqué? Plouf! Je me suis jeté dans cette eau tourbillonnante et j'ai regardé, droit dans son œil de cyclope, la satanée caméra. Trou noir, vitreux... Brrr!

Vingt-six fois, le régisseur est venu ainsi se plaquer en retrait d'une caméra et m'a crié, à moi et à mes invités, aux techniciens: «Silence partout! Dix secondes. Neuf! Huit... » Je veux raconter ma petite aventure pour ceux qui y passeront un jour, pour amuser les «pros» et pour le public qui ne sait pas toujours comment ça se passe juste avant qu'il s'installe devant son téléviseur. J'en profiterai pour vous présenter, côté coulisses, une centaine de créateurs de livres fort divers. J'en ai lu, en cinq mois, près de cent vingt!

Août 1986 — février 1987: une drôle de parenthèse dans mon existence. En janvier 1956, il y a trente ans de ça, je quittais un job de moniteur de récréation dans les centres et les parcs municipaux. Après trois années à faire «peinturlurer» les enfants, les initier au modelage ou aux marionnettes, à vingt-cinq ans, j'obtenais un poste de décorateur aux émissions pour enfants à la télé publique.

Janvier 1986: à cinquante-cinq ans, j'accepte l'offre de la Société Radio-Canada de prendre une retraite anticipée. Je pose ma candidature comme chroniqueur... «de n'importe quoi», ai-je dit au directeur tout neuf d'une chaîne de télé toute neuve. Cinéma, livres, spectacles... Et il me propose la dangereuse responsabilité d'animer une heure hebdomadaire pour une télémission sur les livres, avec leurs créateurs bien entendu, en studio.

Inconscient? Tête heureuse? Je suis ravi. Vraiment emballé. Fou de joie même! Le printemps de '86 me semble un fameux printemps. J'ignore encore comment je devrai exactement me préparer à cette charge. À mes yeux, pas une charge, un bonheur! Devoir parler de livres, faire parler des auteurs ensemble, un immense plaisir anticipé. Ce nouveau métier sera un véritable jeu. Je ne sais pas encore tout ce qui va survenir, toutes les difficultés, les coups bas, et les bons coups aussi, qui vont m'être administrés. Sans malice, parfois avec beaucoup de malice! Je me sens prêt et lève trois doigts en brave boy-scout. Innocent! Étant moi-même un auteur — par les soirs et les week-ends depuis 1960 — si souvent, quittant une interview télévisée, je m'étais dit que mon questionneur, ou ma questionneuse, n'avait pas su exploiter habilement ma petite personne et le contenu de mon ouvrage. J'allais être exemplaire. Rêvons, matamore! Vite, quand commence-t-on? Où faut-il aller? Qui sont mes premiers invités? Doucement, bonhomme! On va t'expliquer. D'abord je dois rencontrer la représentante d'une compagnie qui doit «confectionner» ce talk-show littéraire. C'est entendu, c'est entendu. J'y vais, j'y cours à ce tout premier rendez-vous. Tenez-vous bien, foules voraces, je serai un animateur-télé fameux, inclassable, irremplaçable! C'est ce qu'on va voir. Et comment...

Chapitre 1
Brève rencontre

Voix féminine agréable au téléphone: «Oui, on nous a communiqué le choix du grand patron. Bravo! Je suis ravie. Où voulez-vous que nous lunchions?» N'importe où, madame la productrice, n'importe où mais au plus tôt. Je brûle de hâte. Je veux signer votre contrat, à n'importe quel prix, à vos conditions. Il y a longtemps, si longtemps, que j'avais envie d'avoir «mon» émission.

Le lendemain, à midi, je me pose un chapeau de paille sur la tête et je roule rapidement vers la rue Wolfe, coin Dorchester, à l'un de mes chers restaurants italiens aux alentours de mon ex-employeur, la SRC. J'y suis avant l'heure fixée et commande de mon cher pastis, j'y verse «l'eau plate», et je guette l'arrivée de ma future productrice. Près de la vitrine, un «roméo» chantonne des airs italiens, le soleil luit fort, la terrasse ouvrira bientôt, il fait beau, il fait bon et j'ai faim. La vie est belle! Je me voyais déjà — une vraie chanson — sur l'affiche de la grille horaire du neuf canal Quatre Saisons. La promesse intérieure de réussir une série «culture» qui ne sera pas guindée, jamais ennuyeuse.

Elle n'arrive pas! Un deuxième pastis. Que j'ai hâte que s'enclenchent les premiers mots d'une longue conversation... qui va durer vingt-six semaines d'abord et qui, bien sûr, n'aura plus de fin. Tête heureuse! Des clients s'amènent, couples, hommes seuls, que fait-elle donc cette enrôleuse d'animateur innocent? Oh! Entrent deux jolies, et bien vêtues, quadragénaires avec de jolis chapeaux fleuris. Sourires de loin à mon adresse. Elles viennent carrément à ma table. Je me lève. C'est commencé, me dis-je, c'est parti! C'est vrai! Je n'ai pas rêvé qu'un patron de chaîne m'offrait d'animer une série-télé.

Présentations: la jolie femme brune se nomme Michelle Raymond. Elle est la représentante de cette nouvelle chaîne qui verra le jour dans quelques mois. La jolie blonde est ma productrice; elle a pris charge pour sa compagnie, la SDA, de mener à bon port le bateau-talk-show-livres. C'est Nicole de Rochemont que son petit monde appelle affectueusement — je l'apprendrai bientôt — «madame de». Commande d'apéritifs. Je suis excité, rajeuni, je veux faire une bonne impression, je veux tout, tout de suite, les rassurer, afficher d'emblée mon enthousiasme et ma confiance et aussi ma volonté de préparer adéquatement ma participation au projet. Je reste naturel. N'ai jamais pu faire autrement. Un zeste d'effronterie et de l'humour. Elles rient volontiers de ma farouche détermination. Tête heureuse, va!

La brune et la blonde n'hésitent pas à me faire quelques premières confidences. Elles sont un peu lasses. Le projet, voulu par «le grand manitou Fournier», a été difficile à accoucher. Il y a eu des hésitations, des re-rédactions, des rencontres, des envies d'abandonner la partie, une recherche essoufflante d'une animatrice ou d'un animateur... Et le reste. J'écoute et je me dis qu'elles vont sûrement me questionner, à savoir comment je vois la manière, la bonne, de faire ce genre d'émissions.

Je suis tout disposé à exposer mon point de vue, dire carrément pourquoi, si souvent, aux autres chaînes, ce fut l'échec. Avouer, tout à l'heure, quand elles me sonderont cœur et reins, ce que je crains: un élitisme de mauvais aloi, l'ignorance d'un vaste public souvent mal initié au monde des arts et des lettres. Je leur dirai même pourquoi, selon moi, Grand-manitou-Fournier a décidé de faire appel à un type de mon genre. Mais elles parlent sans cesse. Elles me narrent, par le détail, le périple parcouru jusqu'à ce midi, les chemins tortueux vers «la» bonne formule, les délais, la méchante impression que cette série ne prenne jamais forme. Elles se disent bien soulagées.

Un arrêt. Il faut bien manger. Rires. Commandes. Je choisis comme toujours le «pennine a l'arrabiata» et elles prennent des escalopes «à la milanaise». Vin rouge. Dieu que la lumière est belle dans la ruelle de la terrasse, que je me sens bouillonnant d'énergie. Le dialogue de ma brune et de ma blonde s'achève et je saisis clairement que eurêka!, on a fini par s'entendre, SDA et Quatre Saisons. Ce sera la formule éprouvée — «et pourquoi pas l'adopter» — du célèbre Bernard Pivot. Ouf! C'est dit. Sourires entendus. «Mais oui, pourquoi pas?» Je m'entends me rallier à l'«eurêka» en question et, par-devers moi, déjà, je me dis qu'il y aura forcément bien des différences, étant ce que je suis. Nos invités ne sont pas français et les livres, en très grande partie, seront des livres d'ici. Il n'y a, au fond des choses, qu'une seule façon: quelqu'un, l'animateur, reçoit quatre, cinq ou six auteurs de livres, il y a eu un choix, les meilleurs bien entendu, il ne reste qu'à en faire la louange avec... Avec bonhomie! Sans «fesses serrées» ni «becs pointus». Et en avant! Voguera ce beau navire. Tête heureuse, va!

Le restaurant *Trois continents* voit donc un trio bien accordé déjà. La confiance de mes deux productrices me semble déjà tout acquise. «Si, si, on vous connaît. On vous a déjà vu à la télé, comme invité, et entendu à la radio. Ce sera joyeux, vivant, dynamique.»

Me voilà plus confiant que jamais. «Nous ne voulons pas d'une série pour *happy few*, vous y serez donc parfait.» Madame de, qui a vécu et travaillé aux États-

Unis, émaille souvent de mots américains sa pétillante conversation, ce qui n'est pas pour me déplaire. Elle m'apprendra un tout petit peu son itinéraire de vie. Après les États-Unis, elle a beaucoup voyagé. A parcouru bien des pays d'Europe en vue de préparer une série sur de multiples inventeurs, tel celui du BIC, qui ont réussi industriellement. Elle a fait, plus jeune, le métier de scripte, de réalisatrice aussi. Elle a travaillé pour Radio-Québec, aussi dans divers ministères, côté cap Diamant. La brune, Michelle Raymond, est plus secrète, plus réservée.

Les desserts nous arrivent. Parlons... fric? Ce sera mille cinq cents dollars par émission. D'accord! Trois fois, quasiment, mon ancien salaire de décorateur. Un peu moins qu'un cachet d'auteur de téléroman. «Cependant, il y a un «hic». Hélas, ce cachet devra être diminué après la treizième émission. Eh oui, nos devis nous y obligent. Ce sera, pour la fin du contrat, mille dollars par émission.» Bizarre! Surprise: l'envers du cheminement habituel quand on acquiert de l'expérience. Bof! j'ai tant envie de le faire. Ma foi, j'aurais signé à moins que cela. Silence là-dessus évidemment! Que sais-je des coûts réels d'une production? À la SRC, les employés nageaient dans le mystère question «argent», une vaste fiction avec des chiffres irréels tant la télé d'État était archibureaucratisée. Et il y aura une nombreuse équipe m'entourant sans doute. Quand les «capuccino» s'amènent, je songe justement à cet entourage. Robert Laffont et Leméac, mes éditeurs de *La Sablière*, m'organisèrent, en 1980, un dîner de presse au *Récamier* de Paris, et Yves Dubé m'avait présenté un certain journaliste du nom de Pierre Boncenne. Il m'avait dit, en aparté: «Sans ce chef des recherchistes, *Apostrophes* ne serait pas l'excellente émission qu'elle est.» Je parle à mes deux hôtesses d'un Boncenne précieux, de ce malingre bonhomme ténébreux, l'oeil aux aguets de tout ce qui se publie là-bas et j'entends: «Nous avons cela, déjà. Nous avons justement un petit bonhomme ténébreux, il se nomme Albert. Albert Martin. Vous le rencontrerez bientôt. C'est lui qui a travaillé à la rédaction du projet. Vous l'aimerez.»

Je commande un deuxième café italien en prenant conscience que j'arrive dans le tableau le dernier. D'ailleurs j'entends les deux dames distinguées reparlant des misères récentes pour mettre au monde cette satanée série, qu'elles étaient, toutes les deux, au bord de renoncer, qu'elles furent bien soulagées en apprenant que «Grand manitou» jetait son dévolu sur moi avec tant de confiance. Elles soupirent et s'éclairent, je les sens comme sorties d'un long tunnel. Elles me regardent un peu comme si j'étais «la perle rare», la bête curieuse qui fut si difficile à capturer. Il fallait y penser? Craint-on une gaffe? On me répète: «Nous ne savions pas que vous étiez retraité de la SRC, que vous étiez libre... » Je me fais accroire candidement que, peut-être après tout, si elles avaient su... Peut-être ne sont-elles pas menteuses, ni trop diplomates.

En buvant nos cafés, j'apprendrai qu'il n'y aura pas d'émission-pilote et qu'il n'y aura qu'un recherchiste, lui, cet Albert: «Vous verrez, il est parfait, il a grand-hâte de vous rencontrer, c'est un fou des livres.» Si je dis: «À Paris, ce Boncenne, il a une nombreuse équipe... », on fait: «Vous savez bien qu'ici, c'est différent, on a les moyens qu'on a.» La bonne vieille chanson, et que j'entends fort bien, réaliste. Je songeais aussi à l'importance de la réalisation, qu'il y faudrait une personne vive, expérimentée. Une telle émission est presque un *happening*, c'est une conversation à bâtons rompus, il n'y a pas possibilité de «répétitions» évidemment. C'est un peu un match à plusieurs joueurs. Presque du hockey. Il y faut du nerf, capter illico une mine, une réaction, une moue, celle ou celui qui pourrait s'esclaffer ou émettre une seule interjection. Je voyais déjà, comme chez *Apostrophes*, la cohorte des caméramen éprouvés. Je découvrirai qu'il n'y en aura que trois. Le réalisateur? «Ah, aucune crainte de ce côté, dira madame de, j'ai interviewé plusieurs candidates et candidats et il y en a un, avec un regard de braise. Des yeux de feu! Il a pris beaucoup d'expérience chez un câblodiffuseur. Oui, vous le verrez lui aussi bientôt, je crois que je tiens l'homme tout désigné.»

Tout va bien, madame la marquise. Tout va très bien. Rien ne peut me faire croire que je serai mal entouré; j'ai confiance, toujours en principe, et puis, tête heureuse, tête heureuse, je me convaincs que c'est l'animateur d'une telle émission qui fait la qualité première d'un talk-show, littéraire ou pas. C'est avec une certaine déception que j'écoute: «Nous ferons la première en août.»

J'aurais voulu — quelle hâte innocente! — aller au feu le plus tôt possible, dès juin, quoi! Je me dis que le temps va paraître bien long. Tout l'été à piaffer dans l'étable? Enfant, je clame mon regret de ne pas pouvoir «essayer» plus tôt... Une «pilote» comme on dit. Une démonstration. Un ruban ne coûte pas si cher, on peut l'effacer si jamais... «Rendez-vous compte, il faut faire signer des contrats, engager officiellement «mes yeux de feu», discuter de la conception du décor, ordonner un choix de techniciens, disposer d'un studio une fois la semaine. C'est beaucoup de soucis, vous verrez!»

Madame de doit bien s'amuser de la candeur de ce néophyte, elle qui sait exactement, depuis le temps qu'elle «produit», ce qu'il faut de patience, de temps perdu pour réunir et réussir ce qu'elle nomme avec justesse «une chimie». En effet. Je devrais pourtant bien me rappeler comme ex-scénographe l'importance vitale de... quoi donc? Comment nommer bien un ensemble de forces humaines capables de cette harmonie créatrice qui fait «le succès»? Ou bien c'est l'insuccès, avec les disputes incessantes, les querelles niaises, les «froids», les distorsions... Oui, une chimie, en effet.

Cette «chimie» de la bonne cohésion, de l'entente idéale va se faire dès le début de la série. Cela va craquer plus tard. Pour des vétilles? Je ne sais trop. Je ne serai pas un habitant permanent aux locaux de la rue Hôtel-de-Ville et plus tard, de la rue Rachel. Je sentirai seulement la chicane floue, la scripte n'aimant guère toutes les façons de communiquer de son jeune réalisateur. Albert, lui-même, toujours resté «chef» sans aucun indien, n'appréciant pas plus qu'il faut un secrétariat qui «B'en, tu sais, disons que le monde du livre ne la passionne pas du tout... » Il me dira qu'il voudrait dénicher une personne «qui sera vraiment utile à la recherche, qui saura collaborer au triage des «frais parus», à la chasse aux notes biographiques.» Ça ne se fera pas. Le plus souvent, je n'aurai pas même un simple curriculum vitae de mes auteurs invités. Je sais bien aussi, depuis longtemps, que tant d'éditeurs n'ont pas d'attaché de presse ou de relationniste. Pas même à «temps partiel.» Que ces commerçants d'un ordre spécial (la littérature n'est pas seulement un commerce, c'est sûr) ne font guère pour la promotion élémentaire des personnes dont ils publient les ouvrages. J'irai au feu, je monterai au front, bien souvent, les mains vides, hélas, sur le plan de la documentation.

Chapitre 2
Première approche

Autre beau jour de mai. Je suis invité à visiter la «maison». C'est vraiment une «maison». On est loin des corridors de style «centre commercial de banlieue» de Radio-Canada, loin de ces sous-sols d'un kilomètre du boulevard Dorchester. C'est un logis réaménagé en centre de production, la SDA du PDG, François Champagne. Une ambiance formidable. Une petite ruche bien bourdonnante. Plantes vertes et cafetière fumante. C'est bien. Les premiers regards des «autres», des travailleurs à diverses productions SDA. J'y sens: «Voilà un nouveau joueur dans l'équipe Champagne. Fera-t-il bien son boulot?» Il y a du suspense. On verra bien. En attendant, partout un accueil «familial»! C'est bien. On me présente donc le fameux recherchiste, mon bras droit, «la» cheville ouvrière sur qui il me faudra compter, en qui je dois avoir absolument confiance.

C'est un petit bonhomme, noir de poil, au regard de jeune veau, au parler quasi onctueux, belle voix radiophonique, d'une modestie feinte avec élégance. J'aime bien mes contraires. Pas d'esbroufe chez Albert. Un humour au bord de l'ironie sans cesse. Je découvrirai un personnage jamais démonté mais toujours inquiet. Avec ses critères insolites sur tout, qu'il sait résumer en peu de mots, en formules lapidaires. Il doit bien avoir une dizaine d'années de moins que l'animateur élu. Il vient du Saguenay. Son oncle fut un «personnage» jadis à Radio-Canada, l'oncle Jo, dilettante surcultivé qui tâta du téléroman brièvement puis imposa un René Huyghes parlant, au canal 2, *quatrocento et tutti quanti*. Jo Martin fut l'envoyé pour *Sauvons Venise* et s'exila à Ottawa, côté muséographie. Il est maintenant, comme moi, un préretraité du fonctionnarisme fédéral à peine amer. La sœur d'Albert Martin est une «comique», Pauline, qui grimace et roule des yeux exorbités avec plein de talent sauvage.

Dès le premier contact, les contraires se complétant, c'est l'union de fort bon gré. À brève échéance ce sera les boutades genre: «La série va marcher fort côté «âge d'or», ma vieille mère aime beaucoup Claude Jasmin.» On rit. On se taquine. Il me fait lire son avant-projet où il proclamait, pour TQS, qu'il n'y a, pour bien faire, qu'à imiter carrément la formule éprouvée, Pivot! Dès le premier article de la louve Cousineau, ce sera le ton du défi: *Jasmin, notre Pivot québécois?* Ça va revenir. Et ça nous apprendra! Les comparaisons, sans cesse, avec «le maître» parisien du domaine «sacré» des éditions... Tant pis!

J'entendrai plus tard l'un me confiant: «C'est mieux qu'*Apostrophes*, ça fait moins funèbre, plus enjoué, moins pontifiant» et l'autre: «Quelle erreur d'avoir osé singer *Apostrophes*: suicide!» Bof! Et re-bof! Laissez passer ma caravane, les aboyeurs!

Première réunion de l'équipe formée. Jolie salle de réunion, meublée «québécois». Surprise d'y voir tant de monde! J'avais cru qu'au «privé», je ne reverrais pas de ces équipes nombreuses si souvent formées à la SRC. On serait quatre, six au maximum, me disais-je. Nous sommes presque une douzaine. Présentations: brrr, moi qui ai tant de mal à retenir les noms. Un décorateur tout jeune est invité à palabrer sur le décor proposé. Étonnement devant ce représentant des nouvelles générations! Plus de mots que de dessins ou d'esquisses, et le langage «signifiant» du symbolique... Brrr!

Aussitôt discussion de tous sur le sujet: la scénographie. J'avais suggéré un loft à Madame de. Elle était d'accord. C'est un lieu plutôt chic qui est proposé. Je refuse de m'en mêler. Je me disais que l'ex-décorateur se devait de muer en «un animateur qui se mêle de ses affaires.» J'en avais déjà croisé de ces animateurs imposant sans cesse leurs superbes conceptions visuelles à tous les artisans d'une production. Non, je n'allais pas jouer la star omnisciente. Oh non! je n'étais qu'un débutant. Je voulais n'être concentré que sur une seule cible: arriver à animer efficacement un talk-show littéraire. Point. Point final. Je me laisse faire.

Je confie à voix basse à Albert, à mes côtés, pendant que ça jacasse sur des broutilles diverses: «Le succès va dépendre surtout de toi et moi. Le reste est sans importance. Tu dois savoir me trier de bons invités, des livres captivants, et je devrai savoir animer cette matière inerte, les livres, et vivante, leurs auteurs. C'est tout.» Il prend son petit air narquois de jocrisse aimable et acquiesce.

Oui, l'envie de chanter: «Je me voyais déjà... » Oh, les espoirs de tous ceux, en ce moment même, qui préparent un accouchement télévisuel. Certains jours, d'avant «la première», le rêve: ce sera une série du tonnerre, la première réussite vraiment populaire en ce domaine plutôt intellectuel. Nous fonderions plus tard un magazine comme il y a *Lire* en France, animé par Pivot. Les éditeurs, dans un peu de temps, se bousculeraient à nos portes pour faire inviter leurs poulains. Nous allions assister, Albert et moi, au spectacle amusant des «pressions» camouflées, ou bien ouvertes, des auteurs de divers horizons pour obtenir la grâce de venir parler de leur ponte à notre émission. Tête heureuse? Oh oui!

Enfin, nous disions-nous, tous les agents du monde du livre allaient jouir d'une émission d'une heure exclusivement consacrée aux livres. Un événement ici! Pas vrai? Ce sera, chez tous ces gens, l'enthousiasme. Vous allez voir!

Les associations diverses du monde du livre d'ici allaient nous épauler, nous publiciser. Les chroniqueurs de tous les médias du territoire allaient d'un chœur uni chanter l'alléluia triomphaliste. Nous serions encouragés, stimulés. Il n'y a ni mesquinerie, ni jalousie au merveilleux domaine des livres!

Ça n'allait pas tarder, hélas, la constatation navrante: les gens du monde du livre? Silencieux, attentistes, muets et froids. Jamais nous n'allions éprouver le sentiment que ces gens-là étaient contents, un peu satisfaits de l'initiative de TQS: ils ne lèveront pas le petit doigt en faveur du coureur. Nulle part! La plupart des librairies d'ici refusant même d'afficher le poster *full colors* envoyé par la SDA! Les associations corporatives ne se manifesteront nullement. Celle des éditeurs n'achètera pas une demi-minute de temps à l'antenne nouvelle pour témoigner la satisfaction.

Bien plus, une importante libraire de la chic rue Laurier osera déclarer à un reporter de *La Presse* alors que la série débute à peine: «Résultats nuls, cette émission, sur nos ventes de livres... » Sous-entendant: «Que c'est donc pas comme *Apostrophes* de Paris!» Elle ajoutera que l'animateur vient de l'éditeur Leméac, et que «c'est clair, c'est marqué... » Une fausseté: nous présenterons moins de livres de Leméac, mon ex-éditeur, que d'autres éditeurs pourtant moins actifs. Mesquinerie maudite! J'enragerai.

L'émission de l'excellent Pivot, ici, n'obtient pas même 1% (hélas!) des auditoires! N'empêche, les éditeurs de *La Presse* décideront un bon samedi matin de faire leur «une» du cahier *Arts et lettres* avec deux entrevues, côte à côte: à gauche Pivot — qui allait fêter son succès français pour la dixième année — et Jasmin, le *beginner*. Brrr... ! et Grrr! L'odieuse comparaison! L'article de Soulié est des plus aimables. Confiant. Il révèle: «Je viens de visionner «deux rubans» et il s'améliore beaucoup.» Merci bien! Mais revenons à la case départ.

Ce terrible jour J. J'allais éprouver ce qu'éprouvent tous ceux-là qui y sont passés avant moi et tous ceux-là qui s'apprêtent à y passer. Ce moment affolant, quand le régisseur va crier: «Silence partout! C'est un enregistrement! Dix secondes, neuf, huit... »

Chapitre 3
La formule magique

Je trouverai toujours merveilleux qu'un programmeur, Guy Fournier, ait eu le goût d'avoir à son horaire dans un réseau commercial une heure sur des livres. Dès que la CRTC accordait un permis de chaîne à M. Pouliot, les compagnies dites privées s'alignaient pour des commandes à prendre. La SDA comme les autres. François Champagne, PDG de SDA, reçoit donc cette «demande», Madame de Rochemont doit prendre en mains ces *desiderata* à haut risque. On lui aurait recommandé ce jeune radioman de CBF-FM, Albert Martin. Il fit la rédaction d'un projet. On me le fit lire. Il y a loin de la coupe-Albert aux lèvres-Claude. C'était une lourde liasse de feuillets. On y lisait promesses et assurances, comme il se doit. On y parlait d'un tandem. Un Mutt and Jeff, un Laurel et Hardy sauce Lise Payette-Jacques Fauteux ou presque! Albert Martin y allait clairement, affirmant qu'une émission sur les livres devrait imiter plus ou moins carrément la formule éprouvée, et à succès en France, *Apostrophes* de Bernard Pivot.

J'étais d'accord.

Pourquoi chercher midi à quatorze heures? La formule de Pivot est comme l'œuf de Colomb. Elle n'a rien de génial, c'est lui, Pivot, qui a du talent. C'est l'évidence : il y a un animateur, un seul, il y a des invités qui sont des auteurs divers, reliés à l'actualité éditrice, et ces invités ont lu tous les livres de leurs partenaires de studio. Dans notre Landerneau-lettres, on va donc entendre du grommellement: «C'est idiot de rivaliser avec *Apostrophes*, c'est s'attirer des comparaisons brutales, etc.» Or, faut-il le répéter, *Apostrophes* ne retient que 12 pour cent de l'auditoire français, ici, il n'a pas même un pour cent d'écoute. Nous apprendrons que cette émission de TVFQ se serait nommée en un premier temps *Entre guillemets* ou quelque chose d'approchant, que ce fut un échec, même avec Pivot, et qu'un an plus tard, *Apostrophes*, elle, décollait en beauté. Que cette formule existait, à peu près semblable, avec l'animateur Pierre Dumayet dans le cadre de *Cinq colonnes à la une*, que Georges Suffert, lui aussi?, avait repris cette façon de faire qu'*Apostrophes* allait reprendre à son tour. Pourtant maints reproches persisteront: «Pourquoi aussi vouloir copier Pivot?» Il n'y a qu'une chose solide: le public d'ici ignore en grande majorité les contenus de TVFQ-France, *Apostrophes* compris, le public d'ici n'a pas été intéressé suffisamment à notre heure de télé concernant le monde des publications littéraires ou autres, point final.

Au moment où je rédige ce *post mortem*, je défie qui que ce soit de retenir beaucoup plus vaste auditoire, en parlant «livres» soixante minutes, ce jour et cette heure où nous étions télédiffusés et par cette chaîne, TQS. Combien? Avec la reprise en après-midi, un peu moins de 100 000 téléspectateurs: ce n'était pas assez! Point final. Sans aucune prétention. On verra bien, n'est-ce pas? À moins qu'on triche: danseuses nues et musique rock? Mission impossible autrement.

Retournons à nos moutons de la SDA. «Senior» de la mini-mini-équipe, je n'ose pourtant trop m'imposer. D'instinct, — m'a-t-il trompé, le saligaud d'instinct? — je laisse venir. Je me fixe une seule barre. Parvenir à retenir un minimum de spectateurs (on ne me dira jamais combien il en aurait fallu pour durer) en animant de façon captivante soixante minutes à propos de livres et de leurs créateurs. Le reste... Le reste fit que deux bureaux de la SDA sont consacrés à la fondation, à la structuration de la série périlleuse. Dans l'un, le réalisateur, André Barro, et son ordinateur à découper, à mesurer, à planifier, avec la scripte, Suzanne Hétu. Dans l'autre, donnant dans la «rue-des-putes», celui de l'unique recherchiste, Albert, sa belle table qui va vite se faire encombrer de papiers inévitables, son divan... Pour moi? Pour quand je viendrai humer l'air qu'il fait et les contenus qui s'amorcent. En face d'Albert, viendra s'ajouter un petit pupitre pour une secrétaire-hôtesse, Sylvia, aide indispensable à ce chef sans indiens de la recherche.

Albert, à chaque visite, se dit honteux de ne pouvoir m'offrir un coin de son pupitre, ou une petite table. Je joue le visiteur. Dès juillet, on me parle de Janine Sutto, d'Antonine Maillet, de René-Daniel Dubois... peut-être de Michel Garneau... Et d'inviter des journalistes, ces «écrivains» au jour le jour. Lâcheté? Je regarde aller la... recherche? Chacun son job.

Une part de mon inconscient me recommande de ne pas trop m'en mêler; sans doute, ce saligaud d'instinct insinue à mon insu: «Ainsi, si ça marche mal, tu ne seras pas le seul responsable d'un échec.» Ça se peut. Je suis franc. Jouisseur et paresseux, bien que suractif comme tant de paresseux, je n'ai pas envie de m'immiscer, de contrecarrer, de m'imposer, de jouer la «tête pensante» de la série. Et puis il y a mieux, j'ai une confiance certaine en ce charmant et fébrile nabot, aux allures de félin paisible. Il semble si bien savoir où il faut aller. Après tout, il a rédigé l'avant-projet, décidé la copie *Apostrophes*. D'ailleurs je suis d'accord en tout. Je le laisse donc seul à la «cuisine» des premières émissions. Maître après... Dieu? Après, peut-être, Madame de, qui doit bien jouer son rôle de producteur, de souple Mère supérieure, rôle qu'elle remplit avec une gentillesse veloutée. Nicole n'a rien d'un esprit dominateur. Tout va bien donc. Que le mois d'août s'amène vite!

Petite ride d'inquiétude passagère : Albert me parle surtout de «sa» vitrine, de ce tas de bouquins «Vient de paraître» qu'il faudra annoncer à chaque fin d'émission. Eh oui, comme chez *Apostrophes*! Cette «vitrine» de la fin sera son préoccupant item, défilé qui devra se faire pourtant en trois ou quatre minutes, il en est déjà maniaque. J'aime bien les doux maniaques. Dès les premiers enregistrements, Albert, l'œil affolé, me parlera avant tout de «garrochage» de livres lors de mes vitrines de la fin. Je lui ferai promesse chaque fois : faire croire au public d'avoir lu attentivement la douzaine ou la quinzaine de livres posés en vrac sur ma table de coin.

L'atmosphère quand je viens faire ces visites au «bureau d'Albert» est des plus cordiales. Les employés de la petite maison, pourtant une des plus importantes ici, sont d'une gentillesse totale. Cuisinette, cafés, biscuits, brioches, jolie salle de réunion, je découvre le bonheur de devoir travailler dans une telle ambiance. Bien différente de l'anonymat archibureaucratisé d'une immense boîte comme celle du réseau d'État. Une famille. Évidemment avec l'inévitable promiscuité... familiale. Un aspect légèrement agaçant pour le «sauvage» que j'ai toujours été car il faut rendre aux autres cette gentillesse incessante avec des «ça va aussi, votre production?», «au revoir, merci, tu es gentil, gentille», «j'espère que tu soignes bien ta grippe», : te remets-tu de cet accroc, de ce reproche, de ces félicitations? ...» J'aime bien, malgré tout... Et, oui, j'ai toujours souhaité me changer là-dessus, devenir plus... sociable, alors c'est l'occasion ou jamais. Tant de «vrais» animateurs le confirmeront: ils sont des sauvages plutôt timides!

Tant de nouveaux projets prennent forme à la SDA, téléfilms, téléromans, qu'il y aura déménagement dans quelques semaines. On cherche à installer une «filiale» ailleurs, les locaux de la petite maison mère sont trop exigus. On trouvera à louer un de ces vieux logis, rue Rachel coin Saint-Denis, exactement là où le valeureux cinéaste Forcier tourna jadis *L'eau chaude, l'eau frette*, un film naïf que je n'oublierai jamais. Rue Rachel: un grand bureau pour la scripte, la secrétaire-hôtesse et une assistante prêtée par la productrice. Dans l'angle du logis, avec vue imprenable sur la banque coin Rachel et Saint-Denis, le tout petit bureau du chef recherchiste toujours sans adjoint véritable, Albert. Cette fois, il n'a que la place pour son pupitre, des étagères tout autour des fenêtres et ce vieux placard au cas où les éditeurs multiplieraient les envois... Moi? Rien. Encore une fois, je suis favorable à cette exclusion faite sans me consulter. Je lis chez moi. Quatre, cinq ou six bouquins par semaine, je lis aussi le *clipping* (quand on m'en fournit) sur mes «victimes» des émissions à venir. Et il y a le téléphone, non?

Albert (est-il au fond un sauvage, lui aussi? Ou un timide qui attend des propositions de changement) prépare, vraiment seul, les contenus. Chaque fois qu'on a terminé la terrible journée de deux émissions (tous les deux lundis du mois), il m'annonce bien calmement les deux nouveaux «thèmes» à creuser. Car, oui encore, nous avions décidé, tous, qu'il y aurait toujours un thème, comme chez *Apostrophes*. Mais oui. Pourquoi pas? Cette idée valable du thème — réunissant les invités — est un excellent moyen et pour éviter le disparate et pour donner «appétit» aux spectateurs. Au Québec, il se publie — on va le découvrir — un millier de titres! En ce pays pas si grand qu'est le Québec! Impossibilité par conséquent de publiciser tout ce qui sort de nos maisons d'édition.

Albert Martin — moi pas davantage — n'est nullement intéressé à mousser toute la production. Littéraire ou autre. On édite parfois des fadaises insipides, ou des livres terriblement «savants» sortent à l'occasion de certaines presses universitaires. Albert va donc tenter, sans vraiment me consulter (et je ne lui ai pas demandé de le faire), de diversifier les contenus des émissions du dimanche après-midi et soir. La productrice doit sans doute être consultée. Je ne sais pas. Le contraire m'étonnerait. Quoiqu'il en soit, c'est la tentative de capter des publics cibles différents.

Je suis solidaire des choix faits par Albert. Quand tout s'écrasera, je veux parler de la publication des premiers indices d'écoute (catastrophe pour toute la chaîne TQS), les reproches comme les autocritiques, on peut l'imaginer, prendront les sentiers les plus divers. Dont celui-ci: «A-t-on trop varié les contenus?» Certes, un dimanche, on fera parler des astrologues prédisant l'avenir, un autre dimanche, des poètes plutôt, avec une Marie-Josée Thériault et une Louise Dupré aux plaquettes d'un art pour initiés. Peut-être. Nous voltigerons d'un créneau à l'autre, le livre est une denrée si multiforme. *Apostrophes* aussi amène, un certain dimanche, des livres de recettes et d'œnologues, un autre dimanche, se consacre au fascinant ethnologue Lévy-Strauss. Je ne possède pas d'appareil à sonder scientifique. Un voisin, un ami, un parent dira: «Bravo, l'émission sur les obèses, chapeau!» Et un camarade blâme: «Vraiment, ces questions d'obésité, on est bien loin de la littérature!»

Il se publie des tas de livres, par exemple «Comment rénover son vieux logis», d'autres où l'on parle de ce menaçant *hiver nucléaire*. On voudra rendre compte de toute la réalité du monde de l'édition. Vaste empire! L'ancien sévère critique d'art de *La Presse* (1961-1966) redécouvre qu'il est difficile de plaire à tous les critiques de télé ou de livres et à son père. Je le savais. Je le sais. Je le re-constate. Nous nous projetterons les rubans magnétoscopiques des premières émissions. Nous notons. Chacun se fait ses propres reproches. Le réalisateur tiquera côté technique, parfois des vétilles à nos yeux, il souhaite l'impeccable. Son droit, son travail à lui. Je me jugerai évidemment bien nerveux. Trop bavard. Je m'en voudrai de ne pas savoir, au début, formuler des questions brèves, claires. Nous sommes durs, assez pour ne pas trop nous accabler les uns les autres. Plutôt lucides aussi. Alors, début septembre, il ne nous reste qu'à attendre la première diffusion sur les ondes nouvelles et écouter les critiques qu'on en fera. Malgré nos maladresses, les miennes au premier chef, nous restons fort optimistes. Il nous semble, au moins, que même ces toutes premières heures passent vite, ne sont pas ennuyeuses. Ce qui me semble essentiel, primordial. Les failles du «débutant» que je suis dans ce métier d'animateur, je me jurerai de les combler, de les cimenter et le plus tôt possible.

On ignore, à cette époque, que plusieurs coups de poignard vont s'abattre. Nous jouons les confiants. J'y reviendrai. En attendant, il faut lire les textes de théâtre et le roman nouveau de Maillet, pas encore imprimé. Je lis sur «épreuves» à corriger. Excitant!

Je me disais qu'Albert Martin m'appellerait à son secours de temps à autre. Par exemple pour contacter un éditeur important — je les connais tous — ou pour l'adhésion d'un «gros canon», un nom qui compte. Qu'il n'hésiterait pas à recourir à mes interventions pour un hésitant, un cas difficile. Par exemple, un certain mépris à son endroit puisqu'il est relativement jeune et moins connu que moi dans la marmite littéraire. Jamais un tel cas litigieux n'est advenu. Tant mieux, me disais-je. Il a donc assez de doigté pour se débrouiller en toutes occasions. Bravo!

Je me disais aussi qu'il lui arriverait sans doute de me questionner, de me sonder face à certaines de ses envies, de ses choix disons un peu hors du commun. Jamais. Pas un seul appel de détresse. Ou de doute. Bon! Chaque mois, mon valeureux, et seul, chef recherchiste (toujours sans aucun «indien» pour l'assister vraiment) faisait «son» choix de contenu. Encore une fois, je ne veux en rien me désolidariser de ses choix thématiques. Mis en face des publications (enfin s'accumulant un peu plus) sur sa table, il y a fort à parier que j'aurais fait les mêmes choix. Le choix est sans doute moins varié que sur les tables des nombreux recherchistes, à Paris, de Bernard Pivot. On peut imaginer que pour un livre publié ici, il en sort vingt d'un coup au pays le plus productif en la matière, la France.

Claude Albert... n'était pas un talk-show comme les autres. Une part de nos entourages l'oubliait volontiers. En d'autres studios, inviter telle actrice célébrée par un téléroman, tel comédien vedette acclamé partout, une «star» du monde du music-hall, c'est s'assurer du coup un «rating» exceptionnel. Excepté sans doute chez ce réseau débutant, mal situé aux cadrans (un foyer sur deux ne possède pas la câblodiffusion). Il faut insister, inviter tel comique archipopulaire, ou tel «rockeur» haut coté, ici ou en France, c'est la possibilité d'un public vaste. Mais parlons «livres»...

Tout le milieu «livres» (auteurs, éditeurs, distributeurs, libraires et lecteurs — pas un bien gros club, ici) se devait donc d'appuyer, de collaborer à fond à l'installation (enfin!) d'une heure de télé consacrée aux livres. Au contraire, sadomasochiste, on verra le silence du milieu. Ou bien les piques acerbes. Voire, chez certains chroniqueurs, le dédain face à notre tentative, loin d'être parfaite certes. Ce milieu (à moins d'être insatisfait de l'animateur durant toute une année) aurait dû publiciser non pas l'animateur expressément, mais l'initiative de Fournier, quatre heures de télé par mois sur les livres exclusivement.

De quoi je me plains? La décision de mon congédiement a peut-être peu à voir avec la hargne de certains. Il y avait un fait, très têtu, celui-ci: pas assez de public à l'écoute. Je dois rester braqué sur ce seul fait d'importance. Si on avait, dans toutes les librairies, accepté d'exposer notre poster couleurs, si tous les critiques de télé et de livres avaient applaudi à mes efforts de débutant maladroit, si les distributeurs géants avaient acheté des placards de journaux, du temps d'antenne à TQS (il n'y eut que St-Martin et Flammarion-Scorpion, que je remercie en passant), si les éditeurs associés avaient voulu s'impliquer enfin, si magazines littéraires, mensuels, genre *Livres d'ici*, avaient placardé leurs pages d'annonces en notre faveur... Tout cela aurait-il amené plusieurs centaines de milliers (c'est la grandeur de chiffres qui compte en télévision) de spectateurs à notre émission? Je n'en suis pas sûr. Je me serais senti cependant moins seul à la barre de cette barque fragile qu'est une émission sur les créateurs de livres.

Le succès solide se fait par ce qu'on nomme le «bouche à oreille», ce qui ne s'est pas fait. Tant pis pour moi. Aujourd'hui, je réalise l'effrayante candeur qui me tenait lors des débuts. J'étais souvent convaincu que, enfin, une émission du genre allait réussir, que ce serait un événement, quand on sait le nombre d'échecs (alors qu'on prenait de grands soins techniques), de tentatives avortées plus ou moins rapidement.

Je sais aujourd'hui que j'ai joué et que j'ai perdu. Que d'autres, plus tard, vont s'essayer en cette difficile matière: l'émission culturelle. Je sais pertinemment qu'il y a eu tant d'autres animateurs qui se sont, comme on dit, pété la gueule. La planète-média continue de tourner. Quand, enfin, enfin, Madame de finit par m'apprendre que TQS voulait recevoir un projet nouveau à formule différente, un nouvel animateur et qu'elle me confirmait ainsi ma disparition du paysage hertzien, oui, j'en fus soulagé d'abord! Il y avait des semaines que couraient publiquement les rumeurs de mon renvoi. J'étais débarrassé! Je suis sorti de son bureau de la rue Rachel avec une sorte de soulagement physique. Fini d'y songer, parfois la nuit, fini de chercher un nouveau ton, une manière neuve, des angles d'abordage différents, fini de me débattre contre la République-des-lettres si frigide, fini aussi de penser à «comment plaire aux foules».

Ce midi-là, le jeudi 5 février, je suis allé retrouver mon réalisateur et j'ai dit: «Terminé, mon vieux! Fini! Au moins on le sait!» Et nous sommes allés tranquillement bouffer une pizza sur charbon de bois et je l'ai trouvée bien bonne. J'ai trouvé le «Grand Manitou» bien sauvage. C'est lui qui m'avait dit: «Vas-y, j'ai confiance!» C'est donc lui qui aurait pu m'écrire un mot, me faire au moins un appel pour me dire: «Merci d'avoir tout tenté. Ça n'a pas levé. Je regrette. On va essayer de trouver autre chose.» J'aurais compris. Je lui aurais dit: «Manitou, merci de m'avoir essayé. Bonne chance! Surtout, gardez à TQS une émission-livres. Surtout!» Au lieu de ça, pas un avertissement, pas un petit «merci». J'ai envie de lui dire aujourd'hui: «Manitou, tu es vraiment un sauvage, un vrai, comme on n'en a jamais vu chez les Amérindiens.»

Bof! Pouah! Je connais d'autres chaînes, et des puissantes, qui ont fait le coup à d'autres animateurs. Un jour, vers 1971, le PDG actuel d'une station MF de radio apprenait par un gardien de parking que son talk-show allait être rayé de l'horaire. Tu t'en souviens, J.-P.C.?

Bon, bon, bon! Assez pleurnicher. J'ai hâte de vous présenter le curieux carrousel de ma centaine d'invités en treize journées de studio. Tous les quinze jours viendront s'installer sur les «divans gris» une huitaine de personnages pour la plupart inconnus du grand public. Ces personnes disaient «oui» au téléphone d'Albert. «Oui» pour rencontrer cet olibrius, interrupteur frétillant des débuts surtout. Alors, avant la venue de «la visite» je me jetais avec plaisir dans la lecture de leurs ouvrages respectifs, crayon en main, je m'efforçais de bien préparer le petit «jeu de la vérité». Autant l'avouer dès maintenant, tous les livres élus par Albert, toujours en fonction d'un thème, ne me paraissaient pas d'égale valeur, c'est bien normal. À l'émission, bien entendu, pas question de montrer mes préférences, cela aurait été incongru. Dans ces pages, au fur et à mesure que je ferai défiler tous ces auteurs, je dirai franchement les ouvrages qui m'emballèrent, ceux qui me déçurent. Et, aussi, je dirai franchement comment et pourquoi certains invités furent maladroits dans l'entreprise commune de promouvoir leurs livres. Il faut admettre que la réussite d'une émission de ce genre, en fin de compte, a besoin tout autant de bons interlocuteurs que de l'excellence de l'animation. Il est arrivé assez souvent que tel auteur se révélait un piètre discoureur sur sa propre ponte. Parfois, j'en restais plutôt stupéfait. En quelques mots, je tentais d'amener l'interviewé sur un aspect de son livre que je savais captivant pour le public et, elle, ou lui, ne saisissait pas la perche tendue. Déprimant.

En premier lieu, reprenons le cours, il faut des trucs et des machins... des photos par exemple, en vue d'une affiche, pour la série à faire naître, il faut tourner un bout de film en guise d'ouverture et il y aura grand «gala»... Allons-y?

Avant, ajouter encore ceci: les occasions d'être interviewé à la télé étant rarissimes, hélas, pour les écrivains, où voulez-vous que ces derniers prennent de l'expérience?

Chapitre 4

«Faire prendre son portrait»

Vous dites «oui», vous signez un contrat d'animation pour 26 émissions et vous ignorez tout à fait ce qui va se passer ensuite. Que l'on va vous entraîner dans de vastes entrepôts tout au nord de la cité et que là... déshabillez-vous! Il vous faut essayer une douzaine de pantalons. Signés Yves St-Laurent s'il vous plaît! Et quinze chemises, signature prestigieuse encore, que vous ignoriez complètement n'ayant eu jusqu'ici aucun souci du «paraître». Calvin Klein? «C'est pas un petit nom, ça, mon vieux!» dit le délégué Pascal. Vous faites: «Ah oui? Bien. Ça me va?» La productrice et son jeune adjoint, des connaisseurs, vous examinent de biais, de face, par derrière... «Ça va aller! pour les deux pull-overs. Non, pas cette chemise, l'autre là-bas!»

Une petite montagne de linge dans un bureau-coulisse-loge-d'essayage. On voit passer soudain des gros billets de banque. Et en avant! «Vous serez le plus bel animateur du pays, vous verrez à la caméra!» Vous vous laissez faire. Un vieux mignon! Vous vous amusez de ces soins, vous êtes un peu troublé et comme devenant étranger à vous-même.

Découverte encore: tous ces artistes croisés en carrière de scénographe, eux aussi, devaient donc «se laisser faire», se laisser habiller au goût des autres, designers en costumes divers, se laisser maquiller, au goût des designers en maquillages, se laisser... photographier? Devoir habiter le décor d'un autre?

Moi qui, romancier connu, n'ai pas même une photo pour un «fan» qui se manifesterait, jamais je n'ai autant été photographié qu'en juin et juillet 1986.

D'abord pour cette compagnie du «bas de la ville», la SDA, on va faire un grand poster. «Tu verras, ce sera affiché dans toutes les librairies!» Bien. Clic! clic! clic! «Change de chemise, bonhomme! Oh! bouge pas, un coup de brosse! Bouge pas, un coup de poudrette!» Se sentir une «grébiche» soudainement. Un mannequin de vitrine. Moi, le «sauvage», me faire pomponner comme un grand vieux bébé. Un poupon bien langé, bien lavé. Les fous rires. L'impression que vous devenez tranquillement «une image», sentiment fort inconfortable que connaissent donc depuis longtemps ceux qui se mettent la face devant les kodaks. De ciné ou de télé.

Prendre le parti de s'en amuser. Vieux cabot, je me laisse dorloter. Je me découvre d'une obéissance surprenante alors que dans la vie privée je bougonne si la compagne de ma vie tente seulement de redresser un poil de ma barbe. Bizarre!

Tout ce cirque est subi avec agacement et amusement. Je suis tiraillé, je sais bien que beau ou pas beau, sale ou propre, bien vêtu ou en loques, je devrai faire passer un contenu. Comment faire? Je n'en sais rien encore. Je me jetterai à l'eau. On verra si je flotte. Comment savoir d'avance? On dit: «Il passe l'écran.» Ou bien: «Non, il passe pas.» Le quoi? Le magnétisme. Le fameux mot si curieux: le charisme. En aurais-je suffisamment? Ô temps, ne suspends plus ton vol que je sache au plus tôt!

Comme écrivain, faisant éditer «son» petit bouquin chaque année, j'ai évidemment une certaine expérience des studios. Sans compter la familiarité que m'a donnée, depuis 1956, cet ancien métier de décorateur. J'ai fait face au cours de ce qu'il faut bien nommer «une carrière d'auteur» à tous les questionneurs du territoire. Jeune, avec les Michèle Tisseyre, Wilfrid Lemoyne, Andréanne Lafond, Lizette Gervais, Jean Sarrazin, Renée Larochelle, moins jeune, avec les Réal Giguère (si souvent!), André Robert, Louis Martin, Jacques Boulanger, Gaston L'Heureux (à Québec), plus vieux, avec les Jacques Houde, Suzanne Lévesque, Jean-Pierre Coallier (c'est à son talk-show à Ville d'Anjou que je concevais l'idée d'écrire *La petite patrie* en 1971), Reine Malo, Georges-Hébert Germain, Yves Corbeil... j'en oublie. On y passe et... au suivant! La chaise honteuse! Que six minutes! On n'a pas plus de temps! au revoir! C'est bien différent: on attend les questions, on y répond avec entrain si possible, avec pertinence, c'est préférable, avec humour, c'est plaisant. On ne regarde rien autour, ni les caméramen, ni ce «fatal» régisseur. On se remet entre les mains du meneur de jeu.

Je découvrirai «la» différence. Questionneur, ce ne sera donc pas si facile. Il y a «le plan», le déroulement de l'ensemble du «show», les caméras à guetter d'un œil absent, et ce terrible régisseur avec ses signaux cabalistiques à ne jamais oublier... Un monde! Je prendrai enfin conscience qu'il n'est pas «si simple que ça en a l'air» d'être l'affreux «métronome» calculateur des minutes et des secondes. Sueurs partout bientôt.

Et puis encore clic! clic! clic! Cette fois pour le neuf réseau pas encore né. Derrière la gare Jean-Talon, première visite chez CFCF-TV, co-partenaire de TQS, même proprio. Studio désert. Un petit coin. Les petits parasols à l'envers, aluminisés, et les appareils-photos sophistiqués. Clic! clic! «Souriez, davantage! Merci. Changez de profil! Levez la tête, ombres sous les yeux. Pas trop. Baissez un peu.» Clic! clic! «Merci. Assis! Debout! Bout des fesses sur ce tabouret. Merci!» Clic! clic! Je ne verrai jamais ces photos. Où les fourre-t-on, diable? «C'est pour les publicités du nouveau poste!» Ah bon! Laissez-vous faire! Tout le monde autour semble savoir exactement ce qui sera bon pour la promotion.

Je me laisse faire. Marionnette. Sentiment de devenir davantage «une image». Un poster? Ouf, ne pas se perdre de vue. Rester soi-même. De force. Rentrer en soi-même, une fois dans sa voiture, encore tout maquillé. Rire en se voyant pommadé, «eye-liner» sous les yeux, dans son rétroviseur. Rire pour se défouler. La manipulation obligée du monde des médias électroniques! Toujours songer aux autres, à tous ceux qui ont passé par là. Ils ne disaient rien! Faisons de même. Un jeu. Je joue. Un acteur? Me méfier de la schizo!

Encore une séance de photos? Vite, faut y aller, pour TV-Hebdo, et il y aura «entrevuette». À la course! Durant les clic-clic, une de ces jeunes filles bêcheuses des années '80, le questionnement-rapido. «Ce sera quoi? Cette série, ça va ressembler à quoi?» Pas trop savoir quoi répondre. Pour la bonne raison qu'on ne sait foutrement pas de quoi ça va avoir l'air justement. Ne pas dire qu'on touche du bois, qu'on se jette à l'eau, que ça pourrait bien être un «flop» affreux. Narguer. Jouer les victorieux. S'hypothéquer. Dire: «Ça va être gai, vous verrez, pas de componction littéraire. On s'adressera à tout le monde.» Ah! ce rêve du grand public, du savoir plaire à tous, à l'intellectuel boudeur, maugréant d'avance, à ce camionneur qui n'ouvre jamais un livre, «vous allez voir, ce talk-show sera si joyeux, si peu intimidant, qu'il décidera d'écouter soixante minutes durant, des auteurs!» Rêvons! Je rêve en couleurs. Je n'ai jamais manqué d'optimisme, on vous le dira, ni de confiance en moi. Ça! Certains matins de juillet, d'août 1986, pourtant, comme un engourdissement... ici et là. La peur parfois. Vite chassée! Ouste!

Et puis les inquiétudes niaises qui ne m'ont pourtant jamais effleuré: une mini-pustule dans le coin de l'œil gauche. Diable, s'il fallait qu'elle enfle? Que vendredi prochain, ça se voit? Ou bien un bouton qui ose apparaître sur la lèvre supérieure. Panique! Compresse d'eau chaude. Vendredi, moi, avec un bulbe rougeâtre sur une babine? Vous vous rendez compte... Idiot! Miroir, petit miroir...

Je n'y avais jamais songé: tous ces «pros» de la télé! Interdiction d'être malade les jours de studio? Interdiction d'avoir des boutons, un œil renflé, une lèvre boursouflée, un nez... Je ris! Oui, je ris de me voir si con dans ce miroir. Je chante. Je chasse toute idée du moindre flétrissement physique, d'une fièvre capricieuse... Un jour, j'arriverai pourtant enrhumé et grippé, le nez bouché, la voix quasi «capotée» et ce jour-là, j'animerai tout de même deux émissions.

Le premier jour J? Ce premier jour en studio. Premier août. Le deuxième jour J? La première diffusion de la première émission. Quatorze septembre. Ça viendra assez vite. Croise les doigts, petit voyou du marché Jean-Talon! Ne pas songer aux docteurs-professeurs en textes. À leurs yeux, ce sera minable de toute façon. Ne pas songer aux savants chroniqueurs de lettres. Ils feraient tellement mieux, bien entendu. Ne songer qu'à «comment amener devant le petit écran la foule», assez de monde pour que ça dure. Défi terrible. Il n'y aura ni musiciens, ni danseuses exotiques, je le sais trop. Il y aura quatre ou cinq pondeurs de livres, quatre ou cinq bouquins qu'ici peu de monde lit. Prévision pessimiste: ils ne seront que cent mille! Comme à une émission religieuse... ou de sciences. Lors de mes bons jours: ça grimpe à deux cent mille! Je ferai un bon «show» culturel, pas trop «savantasse», pas trop «vulgaire». Je trouverai le milieu. Je saurai bien éviter l'élitisme précieux et la niaiserie démagogique. On sait que ce sera un coup de matraque aux premières sondes, dès la mi-novembre!

Rendez-vous ensuite pour la chic revue *Allure* dans un vaste garage-loft au-dessus d'une voie ferrée derrière Rosemont. On y va. Encore cette ambiance «new look», parasols blancs et papier-feutre blanc au plancher. Maquillage, du beau linge... Et clic! clic! «Joue avec les livres! Oui, c'est ça, à pleines mains... Tu nages dedans! Bravo!» Il y en a des masses. Je me sens terriblement gêné soudain. Sur une malle plombée, ces piles de bouquins, la raison même de tout ce chambardement dans mon existence, les traiter, aux ordres du photographe, comme s'il s'agissait de boîtes de macaroni. Frayeur! «Vas-y! Pige dans le tas! Renverse le paquet à ta gauche!» Ça dégringole, ça tombe. Des livres, pas des canettes de bière. Gêne qui monte. «Prends-en à deux mains et lance-les au-dessus de ta tête!» Un peu las, j'obéis encore. Clic! clic! Trop tard! Je l'ai fait, les livres comme des serpentins, confettis énormes. Clic! clic!

Je demanderai qu'on ne publie pas dans le magazine cette photo d'un garrocheur de livres. Je me suis réveillé. Je découvre, dans ce métier curieux, que l'on a envie de faire une confiance aveugle à tous ceux-là qui commandent. Ils sont des béquilles anti-quoi? Anti-trac, je suppose. Une confiance totale, sans jugement. Découverte parfois que les bons conseils, par la même personne, sont contradictoires d'une semaine à l'autre. C'est qu'eux aussi, les bons apôtres qui ne vous veulent que du bien, ne savent pas trop de quel côté il faut tirer la barque à mettre à l'eau.

Après chaque émission, fourbu, énervé, inquiet, il y aura chaque fois le photographe dit de plateau, Jean-Pierre, un gentil jeune blond bien poli. Devoir retenir un Reeves, un Jacquard en disant «Quelques photos, c'est pour les horaires-télé.» Comprendre qu'il y a des invités qui ne tiennent pas vraiment à poser, sur le divan, sous l'affiche *Claude, Albert...* en ma compagnie tutélaire... Être mal à l'aise de cette obligation quand ce sera par exemple la timide Anne Hébert, le sauvage Philippe Djian. Toujours ma manie de me mettre à la place de l'autre. Songer: «Moi, j'aimerais pas trop ça!» et chasser vite cette pensée. Se dire: «Ils sont venus, ils ont accepté de jouer le jeu du *talk-show*, ils comprennent aussi bien que toi... tu comprends.» Il faut encore sourire, sembler bienheureux quand on a seulement envie de fuir le studio, d'aller se plonger dans une baignoire d'eau chaude, à l'abri de tout, après cette longue journée où il t'a fallu réussir, plus ou moins, à faire parler une dizaine de bonnes femmes, de bonshommes sur les «merveilleux», «fascinants», «fantastiques» livres qu'ils viennent de faire éditer et qu'ils espèrent vendre. Assez pour qu'un prochain manuscrit ne soit pas refusé chez l'éditeur.

La scripte s'approche: «N'oublie pas, demain, à cinq heures, pour le magazine *TV-Hebdo*; sois là-bas avec le chandail blanc et bleu.» J'y serai! J'y serai!

Chapitre 5
Mini-film pour nous pratiquer

À la mi-juillet: tournage d'un mini-film pour ce qui se nomme «l'ouverture» en télé. Le réalisateur Barro va installer une caméra-film chez Albert, au pied du Mont-Royal, Côte Ste-Catherine, où il gîte, pensionnaire d'un vaste manoir sauce rétro, propriété de l'impresario-ès-humour, Gilbert Rozon. C'est la joie. Beau soleil dans les jardins connus de tous nos humoristes et de ceux de France. Nous nous installons à l'étage «albertien». Murs couverts de livres. Éclairages violents et devoir faire le pitre écrasé par les bouquins qu'Albert, vu de dos (c'est un ordre de la patronne), empile sur ma table. Pour ce vingt secondes, même pas, des heures de sueurs sous les spots brûlants. Il s'agit d'amasser tout un stock d'images mouvantes afin d'y pratiquer un découpage-montage nerveux, à la mode du jour. *Fast Food* des «ouvertures» bien modernes!

Toutes ces ouvertures d'émissions du futur réseau se doivent d'être «façon survoltée», ordre du «Grand manitou». Je m'y conforme. Je ne suis toujours pas consulté et je n'y tiens pas; un certain plaisir de se laisser faire et j'imagine que ce fut le lot de tous mes illustres prédécesseurs en animation. Position plutôt confortable: si ce n'est pas bon, je n'y serai pour rien. Et puis j'ai confiance. «Le Grand manitou», dans tous les médias, a déjà commencé son étonnante campagne aux propos follement présomptueux, frisant parfois l'arrogance. Quoi? Aurait-on voulu qu'il annonce: «Nos émissions seront banales, ordinaires»? Agacés parfois de l'entendre affirmer qu'il allait inventer une télé toute neuve (des chroniqueurs lui feront payer cher cette inflation verbale), nous étions néanmoins assez sûrs de bien des innovations. D'abord, quant à moi, le seul fait d'oser installer une «heure-livres» chaque dimanche me le rendait fort sympathique. Aussi, d'avoir osé me confier cette heure! Un défi! Encore plus sympathique, le Fournier, mettez-vous à ma place!

Parenthèses pour dire qu'en mars de cette année, j'étais allé m'offrir béatement au chef des émissions socio-culturelles de la SRC. Inutilement. Denise Bombardier s'exile à Paris? «Mais, me dit ce chef, on va garder ses coéquipiers, Masson et miss Poirier.» Bon. Un peu plus tard, le directeur littéraire Yves Dubé rédigeait un projet, et ensemble, Dubé et moi, nous étions allés le proposer au PDG de Radio-Québec. Un tandem, Lise Garneau et moi. Un café littéraire. «La belle et la bête»! Nous irions de table en table, et ce serait le Café Procope, façon '86, à la recherche de François Villon.

Vaste bureau du PDG Girard. Je me voyais déjà, comme à cette taverne «Royal» dans les années '60, jasant, discutant, gueulant parfois, calmé et arbitré par la jolie Lise. Ce serait «bohème», chaud, pétant de feu. Refusé aussi? Vague acceptation en tout cas: «On verra le comité des projets. Peut-être en janvier '87, un essai! On verra. Pas d'argent... etc.»

Guy Fournier, lui, avait voulu une telle émission-livres. Chapeau! Non? Mais oui. Mais tous ceux qui sont accourus au secours de la... défaite, protestent: «Copier *Apostrophes*, quelle erreur!»

Revenu de ce tournage de film d'ouverture, c'était aussi la présomption qui régnait chez SDA. Chez moi aussi. Je vous le dis: tête heureuse. Incurable! Je pressentais, du fin fond de mes tripes, que cette série serait captivante, instructive et divertissante à la fois. Un événement, c'est bien simple! Présomption chérie!

Durant juillet, mon réalisateur s'amusera ferme à tripatouiller ses images captées *at home with Albert*. Durant vingt-six semaines, le public apercevra le bonhomme Jasmin comme disloqué, en une marionnette gesticulante enterrée par les publications de l'heure servies en vrac par le pantin Albert!

Le jour J, ce premier août, ne s'amenait pas bien vite. Vraiment un étalon dans sa stalle! J'avais hâte... j'avais hâte!

Les créateurs ont besoin évidemment de cette confiance en soi. Un *must*? Le préalable à toute entreprise dans tous les domaines? Ce jeune affichiste n'a-t-il pas conçu la meilleure affiche du monde? Ces chansons, elles vous l'affirment, sont des bijoux! Ce film est un pur chef-d'œuvre, il le dit effrontément à tous les micros! Ce concert, ce spectacle de danse... Les hôtes sourient. Ils savent bien que les artistes rêvent.

Mais, certains matins, ils se lèvent et sont «déboussolés», ne sont plus du tout certains d'avoir réussi à exprimer... quoi donc? cela qui, hier, leur paraissait le zénith de la création. Ils se secouent, chassent ce doute et ils y vont, à ce microphone de CKAC ou de CJMS, avec Lévesque ou avec Marleau — qui sourient gentiment — et ils disent: «Je crois que c'est ce que j'ai fait de mieux.»

Vanité? Non. Même pas. Ce besoin vital de s'y accrocher. Et puis bien savoir que s'ils n'embouchent pas eux-mêmes la trompette victorieuse, personne ne va l'emboucher à leur place.

Rivard chante: «Ayez pitié de l'homme qui a peur... »

Au fond, jamais vraiment sécurisés, nous avons peur. Tous. J'avais peur certains matins de juillet '86.

Chapitre 6
Les signaux visuels du régisseur

Ça y est, ce vendredi matin, premier août, j'entre dans «ma» loge! Ça me fait drôle. Je n'aime pas ça. Je trouve que ça fait «diva». Je me sens «guidoune». Bizarre. Je me sens «efféminisé». Mais oui. Ceux qui me connaissent savent que je ne me dorlote pas. Que je suis plutôt dur pour mon corps. Alors, ce divan noir, cette lumière tamisée, les patères, le linge sur cintres, numéroté... Vraiment! Ma «loge»? C'est le bureau prêté par Monsieur le directeur technique du Studio Centre-Ville. Pupitre dans un coin, lampe de table, j'y dépose les livres et mes notes de lecture. Je ne tremble pas. J'ai confiance en moi. Il y a seulement que... Quoi donc? Comme des frissons électriques qui me parcourent à intervalles irréguliers. Le trac? Jamais je n'ai eu le trac comme invité aux panels des autres, pas depuis très longtemps en tout cas. Mais aujourd'hui, c'est tout à fait différent. Une énorme responsabilité envers mes tout premiers invités, leurs livres, la compagnie SDA, TQS, Fournier qui m'a fait confiance. Je n'ai pas à venir «vanter» un livre à moi. Rien à voir, j'ai à vanter les écrits des autres. J'ai à garder bien à flot une chaloupe capricieuse; tantôt elle sera mise sur un lac qui me semble soudain une mer agitée, je l'entends gronder dans le studio voisin.

J'enlève mon linge ordinaire. La scripte m'indique quoi mettre pour cette première. Elle m'examine, me semble-t-il. Tente-t-elle de lire une certaine appréhension afin de me réconforter? Je rigole. Je crâne. Elle est parfaite, ne dit trop rien. Elle aussi veut le succès, son job à elle aussi en dépend. Une responsabilité de plus à mes yeux, tous ces «pigistes» engagés pour cette série à faire épanouir. Je suis du genre responsable, on ne se refait pas. Je blague avec Albert, venu vérifier si on est sur la même longueur d'ondes. Il est d'un calme royal. Apparent? Comment savoir? Il n'a rien de l'agité, pas en surface du moins, ce que j'apprécie fortement. Je remarque tout de même qu'il a pris sa voix la plus douce. Un contrôle afin de ne pas énerver qui que ce soit? Surtout pas ce «vieux débutant» en animation.

Nous avions tous décidé qu'il n'y aurait aucun contact préliminaire entre l'animateur et les invités, nous savons que c'est la coutume à tous les talk-shows, pour éviter que l'on ne déflore de bons filons en jasant dans un *lobby* avec eux. J'entends derrière ma porte de loge, située à l'entrée même du studio de la rue Bishop, des pas pressés. Il a été décidé aussi qu'il y aurait pour chaque émission «des invités de nos invités», parents, amis, fidèles, etc. Eh oui, comme chez *Apostrophes*! Et pourquoi pas? Je devinais que ce petit public tout autour des auteurs amènerait un supplément de chaleur humaine. Et c'est vrai, je le constaterai tout à l'heure. Plus tard, on abandonnera cette recherche laborieuse des «parents et amis». En après-midi, ce sera trop difficile de rassembler des spectateurs. On ne veut pas du public, pas trop intéressé, des clubs de l'Âge d'or, ou des Cercles de fermières comme on fait aux variétés.

On vient me présenter Claude McDuff, mon premier régisseur, grand garçon affable. Il se met en frais de m'initier au rituel des gestes principaux. Bras levés, main ouverte, décompte des doigts, bras croisés; doigts croisés... pour «trente secondes», index giratoire pour «tour de table», avant-bras tournoyants pour «accélérez» et mains étirant une pâte invisible pour «ralentissez». Ouf! Amusant! Ça de plus à mémoriser. Lui, il a de l'expérience et me rassure paternellement: «Vous allez voir, ça va bien aller... je ne vous quitterai pas des yeux... » Un cordon ombilical quoi, pour m'unir à l'équipe enfermée dans la régie technique. Il retourne au studio, où l'on est en train de pré-enregistrer les couvertures des livres de mes invités, voir aux détails divers de la mise en forme de cette première heure. Il me dit: «Je reviendrai vous chercher dans une demi-heure environ, ça va?» Il ne s'agit pas de répondre: «Non, merci, je rentre chez moi, j'ai trop peur!»

J'éteins l'éclairage du plafond. Trop cru. Je vais m'allonger sur le divan de ce bureau-loge. Je tente de me calmer. Je ne suis pas vraiment nerveux. Seulement un gargouillis au creux du ventre de temps à autre. Être raisonnable, se dire qu'il faut donner l'exemple, que les autres, tantôt, au son, aux caméras, *et cetera*, devront croiser un animateur qui a pleine confiance en ses moyens. Comment, autrement, exiger d'eux cette même confiance essentielle au bon déroulement de... l'aventure? Je me compose donc un visage, une attitude. Je retourne au pupitre pour vérifier le bref texte d'ouverture, celui des présentations. Ça va. Je les sais vraiment par cœur.

Du calme. Madame de, l'œil sombre, le sourire large, vient visiter son: «Cher Claude, tout va bien aller, vous verrez, j'ai un net bon pressentiment... »Albert rôde, Sonya et Sylvia jouent parfaitement, me dit-il, les hôtesses empressées. Le café est chaud. Je fais des blagues, il en fait aussi. Besoin de ne rien trop prendre au tragique. Albert s'en va vérifier si tout son monde y sera.

Je me jette de nouveau sur le divan, diva, va!, avec mes petits papiers. La sacro-sainte peur d'oublier, je ferme les yeux, je m'imagine dans mon fauteuil, face aux caméras, et je balbutie mes textes de mémoire... Ça va. On frappe: un bouquet majestueux. Un carton: «Merde!». L'équipe! Et la signature de Madame de. C'est gentil. Sylvia: «Faut descendre au maquillage. Tout de suite.» J'y cours. J'y cours! Au retour, gentil cadeau, un chapeau tout noir, signé Stetson. L'air d'un Jacques Languirand dans le miroir! Attention — fétiche de Nicole de Rochemont!

Chapitre 7
Prêt pas prêt, j'y vais!

Il n'y a pas à farfiner, il faut bien en faire une. C'est aujourd'hui. Une le matin, théâtre, une autre après le lunch, journalisme.

Un choc quand j'avais appris que nous allions en faire deux chaque jour de studio: «Deux par jour?» Oui, deux! Bof, tête heureuse se dira: il n'y a rien là! Pourtant on me fera remarquer que je suis comme moins... concentré lors de l'enregistrement de la deuxième d'une même journée. Ça se peut bien, ma foi!

Donc, maquillage. Le premier. Au sous-sol du studio Centre-Ville, encore la rigolade. Un peu forcée. Pour faire comme si... Comme si cette série allait se faire un doigt dans le nez. Encore au fond du ventre, gargouillis et crampes légères. Les jambes? Un peu molles. Les mains? Très humides. Faire voir de rien! Blagues avec la maquilleuse. «Faudrait me raser ces sourcils à la Charles Chaplin, pensez pas?» Ou bien: «Du *Grecian Formula*, non? Je suis trop sel et sel... non?»

C'est une de ces jeunes filles, pigistes, qui vont et viennent dans le dédale des productions dites «privées». Hier, elle était au sein d'une immense équipe pour un long métrage sauce actuelle: un zeste québécois et un tas d'Amerloques. Vieux-Montréal et cie! Elle tente de harnacher mon reste de cheveux. «Où mettez-vous cette couette d'habitude?» Je me laisse pomponner, moi qui ne me peigne même pas le matin! Pommades partout, colorant sous les paupières, sur ma tonsure. Ses pinceaux volent. Je relaxe. Même sur les mains? Elle a raison. Ces mains sépulcrales qu'on voit trop souvent. Cette séance pour le «paraître» me fait prendre conscience que je dois, tout à l'heure, jouer un rôle. C'est fâcheux.

Je souhaitais tant rester naturel. Y arriverais-je? Tout ce qu'on m'a dit, les conseils, les avis, les recommandations parfois contradictoires. Fournier: «Sois subjectif, un peu baveux, t'es bon là-dedans», Michelle et Nicole qui me diront: «L'important est de vous faire aimer. Pas de piques. Faut pas agresser! Personne. Le public déteste la moindre craque.» Bon: politesse, courtoisie. J'aimerai tout le monde! c'est promis. Le petit garçon d'antan, en visite chez les tantes, les sœurs de môman!

Sylvia: «Les invités arrivent! Faut rester caché! Ne sortez plus de là!» On requestionnera un peu plus tard là-dessus, serait-il souhaitable qu'il y ait rencontre, au moins brève? Est-il bien vrai qu'un animateur de talk-show, tolérant les présentations préalables, puisse gaspiller, déflorer et ainsi perdre le meilleur des propos spontanés de ses invités une fois tout le monde aux caméras? C'est dit, je me cache. Cris et chuchotements dans le corridor voisin.

J'ai besoin de retourner au sous-sol! Mais oui, l'anxiété excite la vessie, hélas! Rencontre fortuite: «N'ayez pas peur, mon cherrr... », me fait Antonine Maillet, «je suis entrée tantôt dans votre décor du pied gauche et ça porte chance, vous verrez.» L'auteur de la célèbre «Pélagie... » me fait du bien. Elle a sa bonne bouille d'Acadienne madrée, tout sourire. Je regagne la loge-bureau un peu rassuré.

C'est bien ici que je voudrais que tous les «expérimentés» se souviennent de leur «première», cette toute première fois où on est venu dire: «Ça y est, tout est prêt, faut y aller!» Je voudrais bien savoir raconter cet instant survoltant. On voudrait soudain se voir catapulter à des milliers de kilomètres de là. N'importe où. On voudrait se métamorphoser en un objet inanimé. On voudrait, face au régisseur qui vient vous dire: «On y va! Tout de suite! Faut!», se retourner comme s'il s'adressait à quelqu'un d'autre. Mais non, c'est vous qu'il regarde. Il vous regarde comme on regarde une bombe qui pourrait exploser. Vous l'examinez. Vous cherchez dans sa mine, quoi donc?, un rictus, un petit signe quelconque qui pourrait vous donner du courage. Il tient la porte de la loge grande ouverte. Sa main a un geste on ne peut plus clair. Vous devez sortir de l'ombre, foncer. Je me lève du divan où je me remémorais l'ouverture, les présentations... Debout, bonhomme! Je le suis comme on suivrait son bourreau!

Impression folle de marcher à l'abattoir. À la guillotine. Vers une chaise électrique. Le petit corridor conduisant au décor illuminé a des murs mous, ondoyants, le plancher vacille, non? Mes pieds ne touchent pas vraiment le sol. Comme chez un noyé peut-être, des images vous assaillent. Vous voyez tout, par bribes, le passé, «j'étais tranquille avant», l'avenir, «ça va être un désastre», le présent, «je serais tranquille chez moi. Quelle galère!» Qu'il est donc éloigné, ce maudit décor! Oh, tension!

Le caméraman à la «grue» recule un peu sa machine pour vous laisser entrer dans le décor. Vous y êtes. Vous ne savez trop où regarder. Des techniciens vous ignorent et ça fait du bien. L'un ajuste ses réflecteurs. Un autre déplace un accessoire. Un autre encore fouille dans sa caméra ouverte. Excellent, chacun son boulot. Le mien? Je ne sais plus trop en quoi il va consister. Ça s'emmêle dans la cervelle. Courage, petit voyou qui aimait regarder arriver ou partir les trains les dimanches de pluie, gare Jean-Talon! Courage! Le doux visage de l'Acadienne de nouveau. Son sourire: «Ça va bien aller, vous allez voir!» Je serre des mains. Ailleurs, perdu, excité, mi-confiant, mi-naufragé. La main si amicale de Janine Sutto. Toujours enjouée, cette prodigieuse comédienne, ça fait du bien: «Mon cher Claude, que c'est amusant de faire la première émission d'une série nouvelle!» Un jeu pour elle, une si longue carrière... combien de fois elle a assisté à ces baptêmes des ondes? Serrer la main de Michel Garneau, grassouillet barbu au charme éclatant. Je me dis en le saluant: «Ne pas m'en faire, il y a ici ce Garneau capable de tant de bonhomie.» Ça va bien se passer. La main ferme, rapide, de René-Daniel Dubois, un visage de marmotte intelligente, ses petites lunettes à la B.B., non, pas Bardot, Berthold l'Allemand. Un autre fou de théâtre. Assis, bonhomme! Assis!

Ah, tu rêvais d'avoir «ton» show, b'en tu l'as! Débrouille, bonhomme! «Montre à tes tantes ce que tu peux faire!» disait maman. Vas-y, petit chenapan de la ruelle des cinémas Château et Rivoli, fais voir au public que «lui, y connaît ça, les livres». Frisson! J'ai bien souvent fait face à des animateurs en toute confiance. Je vais maintenant découvrir l'autre bout du métier. Facile de s'amener dans un fauteuil et mousser son petit dernier. Cette fois, rôle contraire, c'est à toi, Tit-Cul Jasmin, de mousser les ouvrages des autres. Je veux copier cette générosité du Jean-Pierre Ferland de *Station-Soleil*. J'y arriverai. Je le veux tant.

C'est la première fois de ma vie que je vois des caméras en forme de canons! Des *transformers*, jouets à la mode? Je vois des fusils autour de moi. Bien noirs. Des carabines à lunettes. Les trois cameramen bougent, glissent derrière leurs mitrailleuses. Une guerre? Je regarde ailleurs. J'écoute, comme distrait, les propos échangés entre Sutto et Dubois, entre Maillet et

Garneau. Je ne suis pas tout à fait présent. Pas totalement encore. Je suis moins calme que je l'aurais souhaité, cela m'enrage. Sourire d'aise un peu faux quand on vient m'agrafer le micro-cravate, disons le micro-chandail!

Je voudrais partager l'angoisse, mais les quatre invités me paraissent bien à l'aise. Trop. Se rendent-ils bien compte que le moment est grave, important? Si on allait tous les cinq faire une émission ratée? Ils s'en fichent, ma foi! L'un rit! Il ose? Pauvre con! Janine Sutto ira répéter ailleurs, tantôt sans doute. Elle regarde sa montre. Pour elle, c'est une simple visite. Peut-être qu'elle ira à une autre interview en sortant du studio? Maillet s'anime en jasant avec Dubois. Je les envie. Je tente de me raisonner. Elle fera évidemment la tournée des studios pour la promotion normale de sa pièce, *Garrochés en paradis*, et de son tout récent livre, *Le huitième jour*. Albert, cependant, m'a dit et répété qu'elle a beaucoup hésité à quitter son havre d'été, Bouctouche, son phare-studio bien à elle au bord de la mer. Ça m'énerve. Ne pas la décevoir. Je regarde Garneau plongé dans une anecdote avec Janine Sutto. Comment réussir à parler clairement de son bouquin qui offre une vingtaine de courtes pièces inédites soulignant le vingtième anniversaire du CEAD?

Du calme, du calme. Tu diras les premiers mots, la première phrase, puis tu poseras la première question et tout va s'enclencher naturellement. Confiance, confiance!

Ça y est, c'est le terrifiant avertissement: «Attention! Silence partout! C'est un enregistrement! Dix, neuf... » Je vois le jeune régisseur, tendu à l'extrême il me semble, qui me dévisage froidement. Il fait son métier. Il lève une main en forme de revolver. C'est parti. «Pow! Pow!» tu n'en mourras pas. Vas-y, ouvre le bec!

Je m'entends parler, puis c'est le film d'ouverture de Barro. Je vois, sur un moniteur, le fou qui gigote sous l'amas de livres apportés par un Albert vu de dos. Musique et... Stop! Encore la main en forme de fusil. *Yellow submarine, yellow submarine*, la toune me revient en mémoire, le livre de contes de Maillet m'y a fait penser. Je présente mes quatre premières «victimes». Je m'aperçois bien que j'inflationne, bêtement. Le trac? Tout est «fascinant», «fascinant», «fascinant». Pauvre cloche, pauvre cloche!

C'est parti. Je passe la rondelle à Garneau, soulagé. Qu'il parle. Envie vicieuse de ne plus rien dire. De le laisser parler. Il est très capable, c'est un improvisateur à la faconde inépuisable. Je devrais laisser couler le sablier, ses huit minutes, à un Garneau parlant tout seul. Il est en train de le faire. Pourquoi pas? Je m'allume une cigarette et je l'écoute. Lâche, me souffle la voix intérieure. Ça suffit. Dis quelque chose, merde, il te regarde drôlement!

Jadis, comment ça s'est passé pour vous tous? Pour toi, cher Raymond Charette hélas disparu? Pour toi, Wilfrid Lemoyne? Pour toi, Languirand, à *Aujourd'hui* si longtemps? Vous vous en souvenez? Vous? et vous? La plupart débutaient à la radio, loin parfois, à l'abri des regards violents des critiqueurs de la grande ville. Chanceux! J'aurais voulu, moi aussi, à vingt ans, aller bosser à Rimouski. Ou à Moncton? Refusé par nul autre que l'expert Miville Couture. Avec raison. Paquette, Nadeau, Fauteux, Garneau, et tous les autres, au fond de nos provinces québécoises, s'exerçant patiemment. Pauvre de moi, bombardé à mon âge! titulaire de cette tribune périlleuse. Quoi? Tu te vantais tant à certains réalisateurs que tu pourrais, que tu serais capable... Grouille, pepère! Grouille!

Je coupe, je sors Michel d'un soliloque un peu hermétique à propos des commencements de son cher Centre des auteurs dramatiques. Je crois qu'il en est soulagé. J'imagine qu'il attendait que je me réveille, qu'il tenait la barre, pour m'aider. Il sourit mieux. Il retrouve sa manière habituelle, si dégingandée. Il va s'esclaffer quand je parlerai de lui, comédien parfois, l'ayant vu dans la peau d'Ernest Hemingway, il n'y a pas si longtemps.

Ça va. Il me semble. On a ri. Important, ça! Il me semble. Le jeune homme terrifiant, loin, écouteurs aux oreilles, se glisse, à gauche, à droite. L'impression d'un sévère surveillant derrière mes invités. Il doit faire bien son métier lui aussi. Un geste! Il brasse une mayonnaise? Ah oui! Le premier «tour de table»? Huit minutes se sont donc déjà écoulées? Le plan, mon Dieu! le plan dans ma tête. J'imagine Barro réalisant, gardien de buts de cette première partie. Il doit être aussi nerveux que moi. J'imagine Albert... et les autres, dans la cabine vitrée derrière Barro. Ont-ils peur aussi? Sont-ils déjà rassurés? Ou catastrophés? Fin du tour de table, la liaison, le «crochet» pour annoncer mon prochain invité avant cette première de six interruptions obligées, l'heure ayant des commanditaires. «O.K.! Pause de deux minutes tout le monde!» OUF!

Merveille. J'ignorais, oh! documentaliste invisible, que mes trois autres invités ont tous eu des contacts avec ce CEAD de Garneau. Ça roule bien! Souvenirs de Sutto, de Maillet et de Dubois à propos du Centre d'essai. Signal du régisseur: «Attention, dans trente secondes!» Déjà?

Sutto-la-parfaite: «Ça va bien, mon Claude, ça roule très bien!» Elle a donc senti ma nervosité. René-Daniel

Dubois est absorbé. C'est son tour maintenant de parler avec astuce de sa pièce *Being at home*... Je n'ai pu y assister. Trop de succès! Pas de place libre. Je lui dirai et il aura en ondes une répartie si drôle: «Mais oui, je sais, il y avait du monde au *Quat'Sous* comme aux cinémas. C'est triste ça, hein?» Rires. Mais j'aime ce métier, ma foi! C'est merveilleux. J'ai aimé lire sa pièce éditée (mais oui, chez Leméac). C'est facile alors. L'interview me semble baigner dans l'huile. Au deuxième tour de table, mais oui, brasse ta mayonnaise, cher tyran, c'est la joie! Entendre Maillet rendant à Dubois un hommage rare: «J'aimerais comme vous pouvoir aller si creux au fond des êtres.» Un Dubois ravi? Et comment!

À la deuxième pause, déjà, du regret. J'aurais dû... Il aurait fallu... On n'a pas eu le temps de... Conscience du temps ravageur. Découverte que soixante secondes, ce n'est rien. Deux minutes: ça ne dure pas. Même quatre minutes, c'est du vent. Huit minutes: c'est encore trop peu pour dire tout. Et au suivant!

Je me souviens bien: avoir tant de choses à dire aux talk shows des autres et chaque fois, entendre déjà: «Merci d'être venu nous voir!» Quoi? Stupéfaction! Dire à l'animateur: «Mais vous m'aviez dit que nous aurions huit minutes» et l'entendre qui vous dit: «On vous a même accordé douze minutes, mon cher!» Effrayant ce sablier des interviews, n'est-ce pas, camarades des ondes? Je le sais pour toujours maintenant.

«Attention! Silence! On reprend. Dix, neuf, huit...» La grosse part pour Maillet qui n'est pas venue de son lointain Bouctouche en vain, deux livres. Parler d'abord de sa nouvelle pièce, *Garrochés en paradis*, et puis jaser sur son livre tout neuf, *Le huitième jour*. On y va. L'invité qui vous fixe. Qui écoute la question de départ. Qui doit aller dans votre direction. Parfois inattendue. Je ne le sais que trop maintenant. Son sourire. Son bel accent qui gêne tant certains snobs évadés d'Acadie: «Oui, j'ai tué tout le monde, la Sagouine aussi dans cette pièce. Je ne suis pas l'Acadie. Je ne représente qu'Antonine Maillet. J'ai des choses à dire, je ne suis pas un drapeau, une carte de géographie... » Cette intelligente universitaire parle avec sa tête et une voix du cœur. Janine Sutto parlera de son «rôle» dans *Garrochés en paradis.* Garneau applaudit au langage «vert». Dubois renchérit. Ça va.

Encore la toujours fâcheuse interruption par les commanditaires indispensables en télé dite «privée» et puis, c'est ce roman, non acadien, *Le huitième jour*, une grande saga pour enfants de tous âges, une fable en un surprenant ramassis de tous les personnages classiques de contes. Antonine en Alice, une Alice aux pays des Perrault, La Fontaine, DeFoe et Carroll. Ça roule bien. Je suis content d'eux. Et de moi. Je suis rassuré. On n'a pas vu le temps passer! C'est un métier formidable. Je l'aime déjà comme un fou. Parler du talent des autres, c'est mieux, bien mieux que d'avoir à me pointer dans tous ces studios de radio et de télé et de devoir vanter ma petite prose à moi. Mais oui, c'est fameux, je rêve déjà que ce boulot stimulant puisse se continuer des années et des années. Donner au public le goût d'un livre, d'une pièce de théâtre, d'un film à l'occasion, mais c'est magnifique! Je comprends maintenant ce bonheur certain rencontré chez quelques animateurs professionnels.

Le régisseur clame: «On y va pour la vitrine de la fin. Silence!» Un choix de livres assumé complètement par Albert Martin. Selon, forcément, ce qu'il a reçu à son bureau. Le désir d'enrichir le thème choisi de l'émission en cours. Albert m'a rédigé des cartons, glissés dans chacun de la quinzaine de livres à montrer. Pas facile. J'ai du mal à lire la prose d'un autre, faire comme si c'était mes mots. Ça fait en effet «garroché» et un peu faux. Je n'ai que six ou sept secondes pour chaque parution, le défilé est donc expédié. On m'en fera des reproches de toutes parts, ceux d'Albert par-dessus les autres. On finira par corriger le tir, je rédigerai moi-même les cartons et ils seront mieux fixés aux volumes, essayant de faire mieux croire que j'ai un peu parcouru toute cette vitrine, au moins donner l'air de les avoir palpés avant l'heure d'entrée en studio.

«Et votre vitrine? Encore du *Apostrophes*, ça! Dommage!» J'entendrai ça aussi. Que faire? La mettre au début? Au milieu? Tous ces livres d'ici et on n'en choisit que quatre ou cinq! Pourquoi pas parler des autres? Au moins rapidement? Un jour l'envie de crier: «Allez tous vous faire foutre!» Non, éviter la facilité, ne pas dire: «Veux-tu le faire à ma place, ce damné métier? Tu ferais tellement mieux?» Ce serait facile. Plutôt se taire et chercher à améliorer. Écouter qui? Lui qui dit: «Affirme-toi davantage! Tu es un gars d'opinions.» Elle qui dit: «Restez aimable, soyez gentil!»

Et le public? Il dira quoi, lui? Rien. Comme toujours. Le public, il regardera ou pas. Il reviendra ou plus jamais. Qui est-il? On ne le saura jamais. Ceux qui estimeront l'émission sont satisfaits et ne songeront jamais (je ne le fais pas, moi, vous?) à dire leur contentement. Les autres? Ils vont voir ailleurs. Quelques-uns, plus sournois, protesteront à la maison mère, dont une collègue animatrice au «câble». Quelle éthique! Et qui gueulera dès la première diffusion à ma productrice: «Zéro! Jasmin ne lit même pas les livres dont il parle... Un incapable!» Charmante concurrente, va! Pitié! Je tais son nom, on serait si vite accusé de racisme puisqu'il s'agit d'une Néo-Québécoise!

Voici venir la fin de cette toute première émission. Toujours lui, le régisseur, un index sur l'autre index. Ah oui! Je me souviens, ça veut dire: il reste trente secondes! Faut donc encore jouer d'impolitesse, couper et déclarer: «À la semaine prochaine avec d'autres livres et d'autres créateurs de livres.» Musique!

Ouf! la glace est cassée.

Chère Sutto toujours: «Bravo, Claude! Formidable! Bonne première.» Je n'entends guère les approbations de mes trois autres invités, je suis trop distrait. Ailleurs déjà! Tentant, en vain, de faire repasser dans ma tête tout le ruban. Idiot! Les bons mots, les mauvaises passes, les beaux moments... Sais plus! On verra bien.

L'homme du son vient débrancher tout le monde. C'est vrai, il y avait des micros sur nos robes, sur nos gilets, nos chandails! Ma chemise est mouillée. Je suis quand même soulagé. Serein. Il me semble qu'on tient la bonne formule, que le temps a passé vite, que les intéressés, en septembre, bientôt, seront satisfaits dans les foyers. On verra bien.

Les «au revoir» et «bises» du milieu des artistes pleuvent. Mes quatre invités semblent fort heureux de la tournure de cette «première». J'imagine qu'ils ont eu peur aussi, qu'ils auraient peut-être préféré venir à une ...nième émission, moi, ayant rodé un peu mes modestes neufs talents d'animateur. Ils partent, me semble-t-il, contents. Je guette la venue des coéquipiers, Albert, Nicole, Michelle, Suzanne, André Barro. Ils tardent à se montrer. Mauvais signe? Je panique un brin. Je me suis imaginé que tout avait bien roulé. Eux, ils savent mieux? Ils ont mieux vu... Je me fais du sang de cochon et ils finiront par m'apparaître, plutôt réservés. Ils ont eu aussi peur que moi? Ils voudraient qu'un vrai public, neutre, vienne nous dire: «Bon, c'est bon!»

Oh, ce premier jour d'août, inoubliable pour moi! Les «au revoir» sont feints, je ne pars pas, je reste là, l'équipe ne va pas quitter le studio puisqu'il faut faire une deuxième émission. L'heure du lunch file bien vite. Trop. Je m'imagine que pour une détente efficace, deux pastis feraient mon affaire. Albert me fera de gros yeux paternalistes. Plus tard, il verra à une certaine abstinence, veillera sur le pernod et le vin rouge aux heures des repas, un vrai grand frère!

Retour à ma loge, je ne suis pas insatisfait, loin de là, de mon baptême d'animateur. Tête heureuse! Les éloges furent maigres, je m'en balance. Je me dis que tout le monde dans mes alentours immédiats est pris du même stress d'en faire deux pour le prix d'une!

Albert, vu ce «temps mort» côté éditions en début d'août, a jugé bon d'inviter six personnages du monde des journaux pour l'après-midi. Imagine-t-on ce que ça représente? Le public regarde six personnes assises face à nos caméras. Derrière cet aréopage, sait-il les coups de fil, les accords, les refus, les excuses? Les efforts en tous genres pour réunir simplement six personnes formant un panel qui se tient? Non et c'est normal. Le public n'a pas à savoir, ça ne doit pas transparaître même. L'émission doit toujours sembler un fait naturel, né spontanément. Ces gens, tenez, passaient devant la porte et on leur a fait signe: «Si vous entriez? Une petite heure? On va causer!»

Ce contenu, hors littérature pure, me rassure. Après un lunch léger, je m'enferme de nouveau dans la loge-bureau pour examiner le plan du déroulement, ce certain ordre que nous planifions d'avance. Albert surgit pour m'annoncer que le doyen Jacques Beauchamp, en mauvaise santé, tient à passer très tôt et devra quitter le studio dès la pause publicitaire. Ça change des choses, les fameux «crochets», je rectifie le tir, redeviens plus nerveux.

De nouveau le: «On y va? oui?» du régisseur. J'y vais avec un peu moins de tension que ce matin. Sous les réflecteurs, ambiance différente aussi. Salutations affables. Francine Grimaldi m'est plus familière qu'un Garneau ou un Dubois. Nathalie Petrowski aussi, croisée ici et là. Même chose pour le caricaturiste Girerd, avec qui je me suis quelques fois trouvé dans d'autres studios à talk-show. Auf der Maur, *columnist* à *The Gazette*, et J.C. Dussault de *La Presse* me semblent en grande forme. L'un hilare, l'autre timide tout de même.

Avec les six invités de cette deuxième émission, l'ordre des six interruptions pour les publicités devient simple: «un invité à questionner, quatre pauvres petites minutes, un tour de table sur cet invité et hop, «commerciaux» durant deux minutes. Ça tourne rapido! Décevant pour mes six questionnés. Grimace discrète quand je coupe pour dire «au suivant», «au prochain». Terrible! Ne pas avoir vraiment mon soixante minutes, soustraire toujours au moins douze minutes. N'en reste donc que quarante-huit, quarante-huit minutes pour tenter de faire parler un peu solidement six personnes. Mission impossible? À l'avenir, c'est certain, on tentera de limiter chaque panel à quatre personnes.

Une cavale, cette deuxième émission! La vitrine des livres à la fin: un tourbillon! Albert, encore plus navré, qui me le dira férocement. Comment faire mieux? J'ai déjà un peu horreur de ce que je fais, de ce que je ferai. Revenu dans la loge, je me sens condamné. Je constate qu'il faudra chaque dimanche soir que le public assiste à un défilé à la course. Trop tard? J'ai voulu faire ça... Je le ferai.

Avec Dussault, j'ai essayé de parler de son livre sur un voyage en Chine. Avec Petrowski, j'ai tenté de la questionner sur *Notes de la salle...* , sa terrifiante façon de juger les artistes populaires. Avec Girerd, sur l'étrange connivence politiciens-chargeurs graphiques, de nos jours. Avec Grimaldi, de son métier fou de *vadrouilleuse couche-tard*, avec Auf der Maur... de je ne sais plus trop quoi... Mission impossible? Et ce cher Beauchamp joua sa classique rengaine du «Je vous aime tous tant»!

Petit cocktail pour fêter «ce jour un»! Les visages fermés des coéquipiers. Une certaine solitude. Je l'éprouverai sans cesse apprenant qu'elle fait partie de ce métier. Camarades animateurs, je ne savais pas! Un sentiment préoccupant: on me fuit dans ces coulisses, on m'évite. Mon Dieu! Est-ce que ce fut si pourri? Barro finit par s'approcher: «À lundi, visionnement et *post-mortem*!» Je balbutie: «Est-ce que ça été? Pas trop mal?» Politesse? «Oui, oui, y a eu de bons moments!» Mords dans ton canapé et ferme-la! Tu as accepté, tu as osé accepter cette charge, boucle-la et sache que chacun vit enfermé dans son boulot à lui! Solitude!

Je m'approche de Madame de qui cause avec Nathalie! Avant avec Francine. Un silence subit. Diable, c'est un four? Le visage d'Albert que je fouille à fond, il me semble plus blanc que de coutume, lui déjà très visage-pâle... Diantre: c'est le bide! «Au revoir, tout le monde, merci pour la collaboration» et je me sauve, aller faire couler l'eau chaude de ma baignoire!

Les deux prochaines ne se feront qu'à la fin du mois. Du temps pour s'analyser, rectifier des tirs, en masse. C'était samedi le lendemain. On se réunira donc le lundi suivant. Visionnement. On ne pense qu'à soi, on s'amène avec l'air de dire: «Pis? comment j'ai fait ça? Je suis bien? Pas mal? Exécrable?» Les autres? Ah! les autres, ils sont comme vous, l'un regarde s'il a bien photographié, l'autre s'il a fait de bons éclairages, un autre s'il a su capter le son parfaitement... Solitude! Chacun gribouille des notes sur «son» boulot surtout. Fin du visionnement du premier ruban.

Silence terrible. Déjà je me fais des promesses: «Je suis trop *speedy*. Faudra que je me calme. Faudra que je me guérisse, je le dis tout haut, de mes «Ah oui! Mais oui! Mm, mm.» C'est con! On rit et on acquiesce. Faudra que je tente d'éviter ces affreux tics nerveux, c'est pas possible. Et j'écoute mal, je suis trop accroché au plan du déroulement. J'y verrai. Et je dois apprendre à interrompre plus finement. C'est du «switchage» impétueux. Mauvais ça! J'espère que mon «gang» apprécie ma lucidité!

Un bon apôtre: «En tout cas, ça passe vite, c'est pas ennuyeux.» Un autre: «Il y a des bouts merveilleux, vous avez vu? Nathalie piquée de toutes parts qui s'étire la crinière, c'est du bonbon, ça!»

Madame de: «Songez-y tous, quel ruban il faudra apporter chez «le Grand manitou» en guise d'exemple de réussite?» Ce sera rue Ogilvy, le deuxième, celui des journalistes. Décision de lui faire voir tout de suite une émission pas trop culturelle, plus populiste. Préjugé envers Quatre Saisons? Nous apprendrons, beaucoup plus tard, que 61 000 spectateurs regardèrent ce ruban sur *La presse écrite* et que 30 000 seulement se rassemblèrent pour les Maillet-Sutto-Garneau et Dubois. Sans compter ceux des «reprises» le dimanche après-midi, nommées *En rappel* à TQS.

Tout au long de ces 6 mois de télédiffusion, ce sera un public en «dents de scie». Sur le cinéma ou avec un René Lévesque, c'est 100 000 spectateurs, en soirée seulement. Pour *Les prévisions de nos astrologues* ou pour *Le Salon du livre* avec les Michel Tremblay, Roch

Carrier et la gagnante du CLF, ou encore sur *La folie* avec les Julien Bigras, Marie Cardinal et la parisienne Irène Frain, ce sera la chute dans les 15 ou 20 mille spectateurs! Et on ne saura plus bientôt comment faire, dans quel créneau foncer, sur quelle cible nous orienter!

En après-midi, ces chiffres, nous dit-on, se multiplient par deux. Bonheur? Pourtant le 5 février ce sera: Terminé! Fin de *Claude, Albert et les autres*, sans aucune explication à l'animateur.

Chapitre 8
Premiers échos

Grands délais avant de retourner en studio: trois semaines! On m'explique vaguement: la SDA a besoin du studio «Centre Ville» pour sa série, *À plein temps*. Il ne reste qu'à attendre. Albert va en profiter pour concocter les contenus des émissions 3 et 4. Madame de, très cinéphile, veut que nous profitions des vénérables invités français pour le Festival du film qui va débuter sous peu. Bonne idée! De son côté, Albert, lâchant la bride pour cette émission *Auteurs de cinéma*, songe aussi avec bon sens à réunir les écrivains de nos «best-sellers» de l'été écoulé.

Cela semble compliqué et remis à plus tard, les *Popcorn*, *Comment faire l'amour...* , *Loft story* et le Savoie du *Récif du prince*, un ouvrage promis au cinéma, tiens! Albert se tourne, toujours captif des «arrivages» modérés d'août, vers Godbout dont l'éditeur, *Le Seuil*, nous a promis l'envoi du manuscrit en voie de confection pour *Une histoire américaine*. Avec lui, il y aurait un «hit» en librairie. *Acceptation globale* avec un des deux auteurs, ce sera François Benoit. Aussi *Le printemps* d'Andrée Dahan et, enfin, le Pierre Gravel de *La Fin de l'histoire*.

Un beau jour d'août, la SDA organise une projection de nos deux premiers rubans vidéo pour l'ensemble des employés de la compagnie. Champagne offert par monsieur Champagne! Le PDG semble fort satisfait de la tournure des événements côté «talk-show-livres».

Party joyeux donc, en attendant le lundi 25 août où nous ferions la troisième, le cinéma, en après-midi, la quatrième, sur l'Histoire, en soirée. Un signe? Toute la compagnie regardera le premier ruban sur les journalistes non sans plaisir et sans entrain. Les bouchons sautent! On trinque au succès. Les camarades nous félicitent mais quand on referme la lumière pour le deuxième ruban sur *Le théâtre*, c'est la lassitude, les départs un à un. À la fin, je me retrouve seul avec... Albert! «Un présage?» Inquiétude mitigée? «C'est le «champagne»! Personne n'a envie de se concentrer.»

Il va y avoir bien pire. En entrant chez moi, visage défait de ma compagne! Qu'est-ce qui se passe? Elle me dit: «Je rencontre Francine Grimaldi dans le hall de la SRC. Elle me sourit, je lui demande si elle a aimé participer à ton premier enregistrement et elle me déclare aussitôt: «C'est pas ça! Il ne l'a pas! C'est infernal. Un désastre. Il vise de travers, c'est pénible. Affreux, etc.» Voilà ma Raymonde complètement retournée, inquiète, bouleversée.

Oh! la vilaine, la langue sale!

Je n'en reviens pas moi-même. Je re-questionne du regard: «Grimaldi m'a dit que tu étais pourri. Que tu coupais de façon sauvage. Que personne n'a pu placer un mot! Que c'est «Waterloo», quoi! Une émission insensée, ridicule. Ratée complètement.»

Eh b'en! Je suis plutôt assommé. On cherche tant, aux premiers efforts, du *feed-back*. Un écho quelconque. C'était pire qu'un doute, c'était la condamnation sans rémission. Je tente de me souvenir de ce premier août, c'était il y a quelques jours. Certes, je l'ai expliqué, il y a les six coupures pour les six pauses publicité, il y a aussi six autres interruptions pour les «tours de table», ça fait déjà douze fois des «excusez-moi, faut... »

Tout de même, j'ai souvenance que l'échotière effrénée de *La Presse* a pu en placer quelques-unes... Enfin, il me semble. Voilà que je doute de tout. Je me fouille. Bien sûr, à six invités, c'est, pour un petit 48 minutes d'antenne, même pas, plutôt léger. En fait, un petit six minutes chacun! Même pas si je veux faire nos fameux «tours de table». En effet, cela a dû sembler très court à la cavalcadeuse émérite des «premières» montréalaises!

Je parlerai de cette mauvaise opinion (à Madame de et à Albert) de la «vadrouilleuse-express» chez Le Bigot, qui devrait pourtant avoir l'habitude de se faire bousculer, où on lui accorde un trois minutes par-ci, un deux minutes par-là.

Je me demande s'il n'y a pas mauvaise foi? Justement, il y a, dans ces moments-là, toujours quelqu'un pour énoncer: «Jalousie et mesquinerie» ou, plus grave: «Grimaldi a tenté d'entrer à Quatre Saisons, elle est frustrée de ne pas embarquer dans le neuf bateau!» Je n'y crois guère. Je décide de lui envoyer une gentille missive. Je souhaite fort qu'elle n'aille pas, fouinant partout, nous faire une sale pré-publicité. Quand je révélerai à Madame de avoir envoyé de bons mots à ma grande épivardée du parc Lafontaine, elle me dit: «Bien! Je vous recommanderais d'écrire aussi un mot à Nathalie Petrowski.» Badang! Je réalise qu'il y a donc eu de charmants apartés lors du petit snack de fin de journée du premier août. Faut se blinder, mon gars!

La carapace! Et vite! Je devine que, pour tant d'animateurs à leurs premiers essais, cela n'a pas dû vraiment se passer autrement le plus souvent. De mon «fort» de décorateur, j'entendais bien souvent de ces «démantibulations» entre gentils petits camarades. Je n'y prêtais guère attention. Maintenant, je sais. J'écris donc aussi à Petrowski!

Peine perdue! La jeune araignée blonde du quotidien de la rue Saint-Sacrement avait son idée faite, et son «topo» prêt. Dès le surlendemain de la première diffusion, à CKAC, ce sera le démolissage. Elle se dira atterrée et navrée de me voir si maladroitement animer cette neuve série. La charmante Suzanne Lévesque se joindra volontiers à la descente en flammes: «J'étais insupportable, oh oui!, coupant intempestivement les invités. Vraiment... en dessous de tout.»

J'y reviendrai avec plaisir et sans aucune amertume, la page étant bien tournée sur cet épisode de mon existence. J'y reviendrai sur les généreux coups de couteau dans les jambes du coureur quand il prend le départ. Comprenant bien plus facilement qu'on pourrait le croire cette cruauté inévitable chez «les artistes», ces êtres sensibles, inquiets, insécurisés, insécurisants, les petits camarades.

Depuis le temps, vu le silence de mes proches, le silence des amis, je me suis convaincu que je devais être, au début de la série surtout, pas bien solide, pas très habile. Faut être capable dans ces métiers où on vient s'installer chez les gens, de recevoir coups de griffes, morsures et même coups de pied d'âne et pavés de l'ours. Une gélatine prend ou pas! Un gâteau lève ou non. Il est difficile, voire impossible parfois, de dire bien pourquoi la pâte n'a pas levé alors que l'on a suivi une recette éprouvée. C'est le lot commun de tous les créateurs. L'un s'est échiné à pondre un ouvrage qu'il croit unique, singulier, génial, et en deux articles on lui fera comprendre que c'est de la... merde! Un autre s'est voulu le rénovateur d'un genre (chacun de nous peut amener sur la table des cas flagrants de grave injustice) et on lui a cassé ses illusions en un rien de temps. Ce milieu est rempli de rancuniers, de persécutés, de «génies-pas-reconnus», on le sait bien. Savoir tranquillement départager les mérites et les faiblesses après l'orage!

Je veux ici narrer une expérience, le récit d'une aventure, témoignage évidemment subjectif mais, j'ose croire, divertissant. Tant d'autres essais tournèrent en quenouille (gardons toujours une denrée indispensable, l'humour). C'est l'histoire d'un bonhomme qui a voulu s'essayer face aux caméras de télé. C'est arrivé à des tas de gens partout sur la planète, on a peu écrit là-dessus, il me semble.

Albert n'en revient pas: «Quand je parle de toi, c'est fou, les réactions, il y a des gens qui t'adorent, vraiment des inconditionnels, il y en a d'autres qui te haïssent avec une rage féroce, viscérale. C'est curieux ça.» Ma foi, je savais avoir quelques fidèles et, bien sûr, quelques adversaires et de mes livres et de mon personnage public. Mais la «haine féroce»? Comment diable «Tête heureuse» a-t-il pu polariser ainsi les extrêmes? Je me questionnerai ainsi quand, pour la troisième fois, Albert me répétera les termes de ses mini-sondages. D'où peut venir d'abord tant d'amitié? Sans doute grâce à ce feuilleton nostalgique et bien aimable, *La petite patrie*. La haine? Sans doute de plusieurs passages à du talk-show populaire où je me livrais volontiers, pamphlétaire démesuré, malmenant des idées reçues ou des modes de dernière heure qui m'agaçaient. Mystère pour celui qui croit naïvement qu'il y a moyen de dire carrément ce qu'on pense. Pourquoi cela, qui me tracasse? Nous voulons être aimés. N'est-ce pas? Et même par des ennemis objectifs. Par tout le monde.

C'est impossible, à moins de se taire toujours, ou de prendre le masque du diplomate.

Mon petit lac des Laurentides est bien beau à la mi-août. J'invite l'équipe entière à festoyer et à dîner au chalet. Atmosphère chaleureuse, convivialité parfaite.

Albert nous apparaîtra, surprise, en maillot rouge vif et ira plonger du quai avec audace malgré le temps qui se couvre, la température plutôt à la baisse. Le brave Saguenayen, va! Personne de l'équipe n'évoque mes premières bavures de débutant, mes maladresses, aussi je crois facilement que je suis déjà un fort habile questionneur d'auteurs. Tête heureuse!

Enfin, TQS avait accepté notre titre, nous avions soumis d'abord des listes imposantes. Madame de est contente puisque c'est sa trouvaille: «J'ai tant aimé le film de Claude Sautet!» Ce sera donc *Claude, Albert et les autres*. Pourquoi pas? William Shakespeare qui dit: *What's in a name.*

J'accorde une longue interview à Micheline Lachance pour son magazine, qui en fera une petite page fort aimable, illustrée. Mon décor fait plutôt «Bon chic, bon genre», lui dis-je, j'avais souhaité une allure «garage» ou «ex-entrepôt». Pas grave, ça non plus. Dans l'euphorie de ce temps-là, rien de la «machinerie» n'a grande importance. Il semble que l'on soit déjà sur une balançoire. Côté déléguée du réseau, Michelle: «Faut faire populaire!» Côté Nicole: «Faut rester littéraire tout de même!» Tiens, je retrouve mes propos d'il y a un an, avec un certain Laurent Legault de l'Association nationale des téléspectateurs. Je les relis un an plus tard: «Une émission littéraire? Je serais incapable de vous dire comment faire. Il faudrait que j'y réfléchisse très longtemps.» Et, en 1985, je lui confiais: «Quatre auteurs sur cinq sont au micro de mauvais communicateurs. Ils écrivent justement parce qu'ils ne peuvent pas. Alors ils font des livres.» Innocent! Dans ce bulletin de l'A.N.T., j'ajoutais: *Bon Dimanche* comme *Coup d'oeil,* des émissions de «chaises». Et qui vont vite, trois minutes chacun et six sujets du coup! Chez Denise

Bombardier aussi, ça va trop vite, ça donne donc à peu près rien.» Allô, boomerang!

Dans cette même édition de l'A.N.T., Denise Bombardier, quittant *En tête*, fustigeait les artistes disant qu'ils n'y venaient que pour «plugger» leurs productions, refusant (le cas «Ding et Dong») d'aller en profondeur. Elle regrettait, elle aussi, la vitesse, le peu de temps accordé aux invités.

Jacques Godbout dans une ancienne édition de *Livre d'ici*, un mensuel spécialisé, tentait, lui, de jouer le devin: «Le monde du livre en France est bien infiltré par les journalistes qui, eux-mêmes, font des livres. Le succès à la télévision d'ici viendra quand «la jolie fille» qui parle de livres sera, elle aussi, un auteur. Si on peut y arriver, d'ici vingt ans, on aura de bons communicateurs comme en France.» Vrai? J'espère.

Je fouille mes archives. Le 23 mai, Nathalie Petrowski: «Quatre Saisons aspire à un rythme tellement haletant, dit Fournier, que les «pitonneurs» compulsifs auront l'impression de bouger tout en restant sur place.» Ce même 23 mai, Louise Cousineau: «Fournier veut que ça marche; angoissé, il dit: «Va-t-on avoir le temps de faire de la télé intelligente? Les gens nous suivront-ils?» Ouen! Le 14 juin, Royer du *Devoir:* «Ce sera la seule station à présenter une émission consacrée exclusivement au monde des livres.» Il semble applaudir. On verra ses «choux» un peu plus loin! Trois jours plus tard, dans *La Presse*, Cousineau: «Jasmin deviendra notre Bernard Pivot animant une heure chaque semaine une émission littéraire.»

Oh, ces comparaisons avec la France! Sait-on que là-bas, chaque année il se décerne mille cinq cents prix littéraires, un pour le roman noir, le roman d'espionnage et même le prix des «écrivains croyants»! Avant le grand gala de TQS, Place des Arts, Cauchon publie:

«Jasmin se veut démocratique, il caresse même l'idée d'inviter de ces scripteurs de vaudeville, de burlesque: Tout le monde surveillera avec attention cette nouvelle émission... » Surveillants, à nos postes!

Enfin, dans le populaire *Journal de Montréal*, Carmen Montessuit titre: «Jasmin n'écrit plus, il lit!» Elle spécifie: «Une moyenne de un livre par jour.» Plus loin: «Pour lui, c'est un recyclage complet.»

La fin de l'été est resplendissante dans les Laurentides. On me téléphone toutes sortes de bons conseils, on ne sait pas qu'il y a déjà deux émissions, comme on dit, «en canne». Un amateur forcené de la chose littéraire parisienne, Louis Chantigny, m'apostrophe et m'arrose de mises en garde. Avec bonté. Marie Laurier vient me questionner pour *L'incunable*, bulletin de la Nationale: «Jasmin n'a pas de complexe et il affiche une belle confiance.» Le Grand Manitou lui aurait déclaré: «Jasmin a ce qu'il faut pour rendre l'émission tout à fait vivante, il a la passion et la subjectivité requises pour la colorer justement de sa personnalité.»

M'a-t-il défendu encore début février? Comment savoir?

Assez du *farniente* sur ma petite plage du lac Rond. Faut retourner en studio, mon gars. Faut faire deux autres émissions. Vous venez? Le 25 août est proche. Et beau soleil partout dehors! Pourquoi n'être pas devenu le pré-retraité taquinant la truite dans la chaloupe de l'aimable voisin?

En passant, expliquer un comportement: vous seriez visé dans un article de journal, vous répondriez, vous? Moi toujours. Ma compagne me répète: «Erreur. Bouge pas. Ne rapplique pas!» Madame de, Albert aussi, me voyant répliquer même pour quatre lignes d'écho à une de nos émissions, m'enjoignent: «Vous avez tort de rétorquer.» Un jour que je lui fais lire une lettre réplique plutôt longuette, Albert, sourcilleur: «Toi, tu écris trop! Dangereux ça!» Comment m'expliquer là-dessus? Quoi, un reporter quel qu'il soit se donne la peine de juger publiquement ce que je publie, ce que je fais et, chien, je laisserais passer? Incapable! On se refait pas. J'y vois, riez si vous voulez de «Tête heureuse», une sorte de respect, une manière de considérer un peu le mal (même en quelques lignes) que ce scribe s'est donné. On va voir que cette... considération va me nuire.

Tenez, écrivons «dernière heure» tout de suite.

Chapitre 9
Spécial, dernière heure

17 février, c'est bien fini cette aventure, cette saison en studio, vous vous rendez au lancement d'un nouvel éditeur, jusqu'ici «le roi» des manuels scolaires en Canada et qui ose, phénomène, s'aventurer vers les littéraires purs. Au *Café de l'opéra*, rue Bishop, rencontre de la «faune», auteurs, critiques et autres chroniqueurs de nos gazettes. Eh bien, on vous aborde mais délicatement. L'impression d'être une sorte de convalescent. Des voix hésitantes: «Alors, ça va, oui? Ça va bien?» Des yeux qui vous fouillent avec l'air de dire: «Va-t-il défaillir ou éclater de dépit?» Bizarrerie d'entendre enfin tant de: «C'était bon, ton émission du dimanche, t'étais bon!» Tiens, tiens!

Depuis l'annonce un peu partout que vous êtes «flushé», selon l'expression favorite d'Albert le ricaneur, voici plein de bons apôtres pour vous consoler sur le tard: «Votre série s'améliorait sensiblement, vous deveniez un animateur fort compétent!»

Au moment où j'écris ces lignes, mi-février 1986, dernier envoi. Oh! mon facteur, dernier coup de pied d'âne. Un bref reportage enquête dans le mensuel spécialisé de Jacques Thériault *Livre d'ici*. Aïe! Ça ne fait presque plus mal et j'ai tenté de cacher ce «papier malin» pour éviter à ma compagne de s'attrister un peu plus. Il s'agit de Micheline La France (*sic*) qui a, par bonté sans doute, interrogé des libraires: «Qu'ossa donne, cette série-livres au «cash»?» Chers libraires sympathiques! Françoise Carreil: «Jasmin ne sait ni parler des livres ni faire parler les écrivains.» Bien aimable! «Jasmin noie toute tentative de débat, il ne s'y passe rien et on s'ennuie.» Bon. Bon. Christine Champagne, une autre libraire: «La formule est gâtée par l'animateur qui ne sait pas parler littérature.» Merci! Robert Beauchamp: «Jasmin vante les auteurs à tort et à travers, il n'a aucune crédibilité, un fouillis de paroles... » Louise Dubé: «Christiane Charette à *Bon Dimanche* a beaucoup plus de crédibilité.» Et vlan, revlan, gênez-vous pas! *Apostrophes* fait beaucoup plus vendre! Vendre ou ne pas vendre, telle est la question. L'auguste libraire Pierre Renaud: «L'animateur? N'en parlons pas, il s'imagine qu'il suffit de paraître insignifiant pour intéresser un vaste public, ce n'est pas sérieux.» Cette fois, l'illustre libraire profite de madame La France (*sic*) pour baver sur tous les écrivains: «...ils devraient cesser d'écrire pour eux-mêmes et commencer à écrire pour les autres.» Vous me dites pas, sire Renaud?

L'officiel porte-parole des éditeurs associés, Carole Levert, l'ouvre aussi: «La formule est bonne mais le résultat actuel décevant.» La grande enquête s'achève par un Albert Martin confiant: «On travaille maintenant à améliorer la nouvelle formule.» Bonne chance, Albert! L'ami Thériault, le directeur subventionné de *Livre d'ici*, en éditorial, publie quant à lui: «En ce pays si petit mais combien intolérant... on anticipait déjà des catastrophes avant même le premier tête-à-tête de Jasmin avec des auteurs.» Ah non, vraiment messire Thériault? Que c'est moche! Et puis, à son tour: «Jasmin a secoué l'encensoir sans trop de discernement devant ses invités.» Bang! Prix de consolation, il ajoutera: «Intérieurement un grand timide? Ou bien devenu avec le temps un homme las de se bagarrer et de se faire des ennemis inutilement.» La série n'a jamais voulu être une tribune polémique, au contraire, elle se voulait très évidemment un instrument de promotion des livres, tout comme chez *Apostrophes* la plupart du temps.

Ce matin de lancement Guérin: *requiem* avec Martel et Royer dans un coin de la salle du *Café de l'Opéra*! J'annonce à ces deux critiques que je suis en train de rédiger ce récit. Je lirai Martel le lendemain matin: «Claude à l'aquarelle et Albert à la recherche.» C'est le titre. Il me résume: «Le public a eu tort, Albert ne m'a pas soutenu vraiment et les journalistes pas davantage.»

Ça suffit! Le public, évidemment, fait ce qu'il veut et pianote où il veut sur son télésélecteur. Albert menait seul la barque des contenus et je me suis laissé faire, trop inquiet pour songer à autre chose que d'animer convenablement. Les chroniqueurs tirent sur tout ce qui bouge. Bien leur droit!

Je veux au plus tôt esquisser les portraits d'une centaine de personnes d'horizons extrêmement divers et qui ont en commun cette activité: publier un livre. On y va? Ajouter seulement ceci: nous retrouverons dame La France (*sic*) plus loin, elle avait déjà, début octobre, décidé que cette série serait lamentable, ayant fait parvenir à la compagnie une longue lettre de reproches agrémentée de bons conseils urgents qui, si on les avait suivis, auraient réduit davantage notre public.

Ajouter encore ceci: comment on se sent après avoir lu ce «pavé oursien» des libraires? Eh bien, imaginez un bonhomme qui sort d'un match, qui rentre chez lui, qui a baissé les bras et soudain un loustic s'approche par derrière et vlan! Encore un coup de pied!

Chapitre 10
Deuxième jour de studio: Denys Arcand à froid

Ma loge pour ce deuxième essai. Les petits papiers, d'un côté de mon pupitre, quelques «communiqués», des «coupures de presse», pour les gens de cinéma, de l'autre: deux livres et deux manuscrits. Après le lunch, un premier show. Questionner adroitement Michel Blanc mais la porte s'entrouve: Albert et madame de avec de drôles de figures, des mots hésitants: «Euh, Claude, écoutez, Michel Blanc est retenu à Mirabel! Il ne pourra pas venir ici... » Vlan! Comme une gifle! Notes inutiles sur Blanc, vedette invitée au Festival du film en ces jours d'août pour «Tenue de soirée». Tant pis! Je m'arrangerai. «Rassurez-vous, Claude, nous téléphonons sans cesse, il y aura probablement Miou-Miou à la place de Blanc.» Eh b'en! Au secours, Albert! Il me donne deux petites pages sur Miou-Miou, extraits d'articles. Je les avale, goulu. On reviendra encore: «Euh, Claude, c'est regrettable, mais le réalisateur Benneix se décommande! Faut pas paniquer, Claude!» J'avale ma salive! Le plan, la recherche préalable? «Vous en faites pas, vous aurez Michel Deville. Vous verrez, c'est un grand monsieur et il est très gentil.» Je me sens dans une garderie, une pouponnière: tu vas voir mon petit, le nouveau gardien aime beaucoup les petits garçons.

Je tente de me calmer. Je me dis: «Bah! Bof! Pouah!» Je veux me convaincre que ça va se reproduire. Que c'est cela aussi le métier d'animateur. Que je dois prouver dès cette deuxième journée de studio que rien ne peut me faire chavirer. De la souplesse, mon vieux, de la souplesse. On change le déroulement. Albert bafouille, pas moins tendu que moi. Je le rassure: «Tu vas voir, ça va marcher sur des roulettes.» Sonya et Sylvia jouent de nouveau les hôtesses accortes. Elles excellent dans ce rôle bimensuel qui sera le leur durant tous ces enregistrements à Centre-Ville. Barro viendra voir son «cheval». Son calme. Il restera toujours imperturbable, ce réalisateur aux nerfs apparemment d'acier:«Ça va oui? Tu es prêt? Tout le monde est enfin là. Tu es maquillé? Oui. Bon. Parfait. Je t'enverrai chercher. Relaxe.»

On vient me dire:«Le cinéaste du *Déclin...* parle à personne en coulisses, il lit son journal. Drôle de pistolet!» Moi? Pas rassuré, hein! Il y a l'auteur du film que j'ai vu, tôt ce matin-là. *37½, le matin*, Philippe Djian. On me rapporte qu'il déteste les interviews, qu'il joue le jeu de la promotion sans plaisir aucun. Ça promet. «Miou-Miou n'est pas arrivée encore!» Albert, tu m'énerves! Il court téléphoner chez Losique du Festival. Brrr!

Le paravent de la loge, où l'on suspend mon linge numéroté pour les deux émissions, s'abat soudainement. Je me précipite. Mauvais augure? Je veux toucher du bois. Je me répète:«Ça va aller, souvent les étrangers sont plus coopératifs, non?» Je touche du bois. J'en cherche. Que du plastique, du verre, de la mélamine. Un néon au mur du fond qui clignote drôlement. Je ne touche plus à rien et je repasse l'ordre des présentations. Doit-on prononcer «Dijian» ou «Jian»? Sais pas. Je demanderai à l'intéressé. Oh, pas confondre Deville avec Delville et qui est cette productrice, Monique Annaud? Pas trop de *clipping* sur elle. Ne savoir que cela, «elle est coscénariste et surtout productrice d'un film sur les Africains dans leur ghetto parisien. Bon, je me débrouillerai. J'ai vu le film, la veille, bon film, drôle, sans aucun racisme, sans condescendance ni complaisance.

Craindre cet instant de nouveau:«B'en, faut y aller! Tout le monde est là!» Suivre l'homme aux signaux. Avoir confiance en soi. Facile à dire. Crâner s'il le faut. Ne laisser voir aucune trace d'insécurité, ce serait mauvais pour mes hôtes.

Studio! Je m'installe au fauteuil brûlant. Denys Arcand, distant, au bout de l'un des deux divans gris, le nez dans *The Gazette*, grande ouverte. Les salutations. Très souriante, Monique Annaud, belle personne semblant timide, réservée. On verra bien tantôt. Michel Deville, doux vieillard au jeune visage, sympathique, tout de suite. Il parle à voix si basse que, plutôt dur de la feuille gauche, je crains de ne pas l'entendre. Où est Miou-Miou? «Au maquillage! Elle va remonter dans un instant.» Bien. Un visage fermé, dur. Celui de Philippe Djian. Petit salut de la tête. Mine renfrognée. Ça va être dur.

Ça y est, la voix ferme du régisseur:«Silence partout!» Une envie de fuir, chaque fois. Courage! Une heure, c'est vite passé. Je suis un peu sorti de moi-même. Je m'entends poser les premières questions. L'auteur très célébré de *37½, le matin* me vrille d'un regard qui glace. Je dois clignoter comme un détraqué. Il me fait de brèves réponses, l'air ailleurs, indifférent, agacé quand j'ose lui parler «trahison» d'un livre par le ciné. Tout vêtu de cuir noir, c'est le Chevalier à la triste figure, fin XXe siècle. Sauvage et poli, il expédie ses brèves réponses. Joueur de ping-pong qui préfère aller nager plus loin. Sueurs abondantes. J'ose proposer: son roman et ce film de Benneix, peut-être le récit d'une sotte ambitieuse déçue par «l'homme nouveau» qui ne cherche que le bonheur et ne pas trop s'échiner? Réplique sèche: il voit pas! «Non, c'est pas ça, rien à voir.»

Animateurs de tous les pays du monde, unissons-nous! Je ne savais pas, pas tout à fait, l'invité d'un questionneur fait sa large part du succès d'une interview. Ou pas! Autour, on dira alors: «Tu l'as pas eu, t'es passé à côté.» Je me souviendrai toujours, lors d'un *Appelez-moi Lise*, l'experte Payette qui, soudain, face à un musicien parisien récalcitrant et jouant le muet mystérieux, déclarera en ondes: «Bon. Merci. Au revoir. On va passer à autre chose.» Fallait le faire! L'impression en face de Djian d'un certain mépris pour la télé de cette «colonie lointaine», le Québec. Je me fais souriant davantage, calmant, aimable, apaisant... Rien à faire, il a hâte d'en finir. Par la suite, faut se raisonner: «Ces invités doivent faire d'incessantes navettes dans les médias, répondre sans cesse, se faire bousculer d'un *attaché* à l'autre. Pas une existence quand l'étranger a envie d'aller voir le Vieux-Québec. Ou Niagara. Ou Percé. Faut refuser les idées malsaines, genre «il n'aimait pas ma bouille» ou «il détestait mon choix de questions». Non, pas de masochisme!

Au suivant! La productrice Annaud, affable, qui rit volontiers de votre insinuation, «un producteur, c'est l'éteignoir? l'arroseur obligé des créateurs, non?» Pause commerciale encore? Coupure intempestive forcément. Encore? Michel Deville, contre toute apparence, se révèle causeur fécond et répondeur enjoué. Je respire de mieux en mieux. Pause. Maudite pause! Publicités indispensables à notre survie en réseau privé. L'actrice Miou-Miou? C'est le bonheur. Un tempérament vif, plein d'humour, une joie de vivre irradiante. Elle joue le jeu avec grâce et parle avec amusement, et admiration à la fois, du fameux Bertrand Blier, son metteur en scène. Quel beau métier, face à quelqu'un qui accepte volontiers «le jeu de la promotion». La joie de ses relationnistes sans doute! Pétillante comédienne!

À chaque tour de table, Denys Arcand m'a clairement montré sa lassitude: demi-réponse, quart de réponse. Une mine supérieure sur cette assemblée. Son tour arrive. Visage plein de méfiance, le regard subarctique! Il va se cabrer quand j'avance le côté «fable morale» moderne de son film à succès, protester avec agacement si je suppose qu'il y a une vision désenchantée dans *Le déclin*... Je cherche d'autres angles. Multiplie les sourires inutilement, improvise du questionnement. Oh la la! je voudrais vous y voir, camarades! Plus tard je le verrai chez Janette Bertrand, dînant joyeusement à la bouffe de *Parler pour parler*. Métamorphosé? Aimable. Je me dirai, tête heureuse, tout homme a bien le droit de se lever du mauvais pied. J'ai joué de malchance en l'invitant précisément ce 23 août. Pas de masochisme!

Trop de livres, à la fin, sur le monde du cinéma pour la «vitrine» albertine. Ça déboule encore. Albert en sera fort mécontent. Son beau souci: la vitrine-aux-éditeurs! Fin de la troisième émission. Fiou! La grande visite se retire, Arcand le premier. Je reste un long moment assis, soulagé, fouillant déjà les bons et les mauvais moments. Les gens du studio entourent mes cinq... victimes! J'entends un éclat de rire? Bon signe? Le résultat n'est donc pas trop mauvais. Djian s'est sauvé, masqué, toujours impénétrable. Deville cause avec Monique Annaud dans un coin. Madame de devise avec Miou-Miou, le cinéma c'est «son» monde. (Cette émission, m'a avoué Bébert, c'était son «bébé».) De loin, m'apercevant, elle me gratifie d'un bon sourire. Je peux me relever du fauteuil des douleurs. Albert ramasse ses livres «élus» traînant encore sur les tables à café. Barro reste confiné à ses manettes, comme toujours, rectifiant, peaufinant les morceaux de son casse-tête, préparant peut-être déjà des insertions visuelles pour les livres de la prochaine émission, après le souper, cette fois.

Des techniciens s'affairent à la grille des éclairages, l'un enroule du câble, l'autre ramasse les mini-micros. Je marche vers ma loge, les jambes mollissantes un peu, libéré, maudissant encore un peu les défaillants, Benneix et Blanc. Bof! On a pu s'en sortir tout de même, non?

Personne ne vient donc jamais vous fortifier, vous dire qu'il y a eu d'excellents moments? Personne. C'est pourtant vrai, je me souviens, après tant et tant d'émissions avec tant d'animateurs du temps où je pondais du décor aux variétés, personne n'allait encourager tel ou tel animateur qui venait de s'évertuer durant soixante minutes. Pas moi en tout cas, *mea culpa*, je ne songeais qu'à faire remballer les accessoires de prix, et que ça saute! Je me parle: sois un vrai «pro», rentre dans ta tente, ne songe qu'au prochain coup. C'est bientôt, c'est dans moins de deux heures qu'il va te revenir, ton régisseur, avec l'impitoyable: «On y va? Vous êtes prêt? C'est le moment. Venez!»

Je me change. Mon linge de tous les jours. Me retrouver. J'ai hâte d'aller siroter un pastis au plus proche restaurant de la rue Bishop! Après? On verra bien.

Chapitre 11
Acceptation globale de ce foutu métier?

Albert me chicane. Il a raison. Plus jamais deux pastis et une demi-bouteille de rouge avant une émission. Inutile de chialer: «Albert, merde, j'ai eu la trouille! Deux invités qui sautent! J'avais besoin de récupérer... » Dorénavant, il va jouer le père Fouettard et veillera au... buveur! Parfait! On rigole un brin. Je cours donc m'enfermer *in loggia*. Je parcours les textes à mémoriser, l'«ouverture», création albertinoise. Puis mes textes de présentation. Surtout bien retenir douze choses, les titres, les noms des auteurs et ceux des éditeurs. Le temps du collège: *memoria minuitur nisi eam exerceas!* C'est vite dit. Je l'exerce, je l'exerce ces jours-là et elle diminue! Quand on devra, rarement, reprendre en début de ruban? C'est ce maudit pastis, pensera Martin, mon nabot merveilleux!

Le chef sans indiens m'a préparé un plateau bigarré ce soir. Voyez: un mince pamphlet humoristique, best-seller québécois, *Acceptation globale*. Une hôtesse m'annonce justement: «François Benoît, le co-auteur, est arrivé et semble très en forme. Drôle.» Tant mieux. Il y aura aussi, ce soir du 25 août, un certain Pierre Gravel. Son livre réédite le récit d'un exilé en Australie, patriote de 1837, joint à une mixture de son invention où l'on voit que la vengeance ne se mange pas vraiment froide, un autre patriote de 1837 qui aura au bout de son fusil un délateur et qui ne tirera pas! Avec Benoît et

Gravel, une jeune dame, exilée d'Égypte, qui raconte, sur un ton véridique, le choc culturel quand une institutrice venue d'ailleurs se retrouve dans un centre commercial scolaire, une polyvalente!

Enfin, «il est au maquillage», le prince déférent de nos lettres, mi-artiste, mi-intellectuel, c'est l'auteur d'un roman tout neuf que je viens de lire «en manuscrit» du Seuil, *Une histoire américaine*. Jacques Godbout y tricote une aventure intellectuelle très plausible: un député-prof nationaliste invité à Berkeley, Californie.

Je réexamine mes petits questionnaires. Les quatre «crochets-liaisons» d'avant les «publicités». Je croise les doigts. C'est la première émission consacrée vraiment à des romans d'ici. Je veux que ce soit frais, dynamique, enlevé, captivant... Je veux, je veux! Ce soir, pas de gros nom à la Antonine Maillet, pas de grande gueule à la Grimaldi, pas de star à la Miou-Miou, du vrai domaine littéraire. Je me dis qu'un habile locuteur comme Godbout me sera précieux. S'est-il levé du bon pied aujourd'hui, lui? Arcand et Djian ne m'ont pas aidé cet après-midi.

Pantalon «Cardin», chandail «St-Laurent», chemise «Klein»... Prêt, monsieur le régisseur! Cette quatrième traversée du désert: le couloir vers l'antique studio numéro 40 ne m'effraie plus. Je fonce. Il peut bien gueuler: «Silence partout! C'est un enregistrement! Dix secondes, neuf... !», je m'en fiche bien, faut que je dompte ces petits démons qui tenteraient encore de me faire peur. J'ai lu attentivement les quatre bouquins. Je les aime. Ces invités sont venus pour collaborer à la bonne promotion de leurs livres. Bon. Tout devrait rouler sur billes bien graissées.

Sueurs malgré tout. Le jeune François Benoît a une bonne bouille de collégien farceur. Ça va aller bien. Je joue le «vieux tannant» et il embarque mais, intimidé par le studio ou trop gentil, il n'ose pas vraiment me charrier, ce que je souhaitais. Certaines de mes taquineries restent la griffe en l'air. Si bien que, en ondes, Godbout dira : «Quoi? Il vous faut absolument une victime, Jasmin! Laissez-le un peu tranquille!» Je rentre une grimace et je fais semblant de ne pas croire que Godbout n'a pas compris l'angle du tir. L'animal!

Vient le tour du prof d'histoire, Gravel. Drôle de matou, il va mimer «l'étonné de mes questions», se tournera carrément vers Godbout et tentera de soliloquer pour lui. Ne pas perdre les pédales. Comme ça va m'arriver rarement, voici l'auteur de *La fin de l'histoire* me faisant le coup du «magistral» monologueur. Il s'empêtre volontiers dans des considérations qui, je le sais, n'aideront en rien la vente du bouquin. Mon mandat. J'en suis fier. Le mandat de Bernard Pivot comme il l'a déclaré publiquement. Avec raison. Je tenterai de ramener fermement ce Gravel au contenu de son livre quand il sera rendu en Grèce préclassique qu'il idolâtre. Du gros ouvrage! Godbout, merci, n'apprécie guère la façon Gravel d'être pris à témoin, il lui décoche une flèche narquoise et le prof veut bien se retourner vers l'animateur. Bien. Godbout a décidé de m'aider.

«Pause! Deux minutes, tout le monde!» Le régisseur vient discrètement à mes côtés pour vérifier l'ordre de l'émission pendant que la maquilleuse poudre mes sueurs. Il me répète, c'est aussi son rôle, les remarques du réalisateur : «On a perdu une minute mais ça va bien. Attention, n'allongez pas le crochet à la prochaine pause... Etc. Etc.» On remet un peu d'eau dans les verres et c'est reparti. Ma belle «Égyptienne», Andrée Dahan, n'a hélas qu'un filet de voix. Visiblement, ce n'est pas une habituée des studios. J'y vais en douceur. Son héroïne de *Le printemps peut attendre* vit une tragédie. Nous tentons en quatre ou cinq minutes d'en illustrer les points forts.

Travail éreintant, de part et d'autre. Chaque fois, vouloir donner au public le goût de lire un livre en quelques brèves minutes, le faire efficacement. Aux premières émissions, je préparais une douzaine, ou davantage, de questions. Je prendrai conscience qu'un questionnaire trop élaboré peut nuire à la clarté de l'interview. Barro dira bientôt: «Écoute, élague tes questionnaires. Si tu veux que tes invités puissent répondre à l'aise, trois questions suffiront pour chacun.» C'est vrai et c'est désolant! Je finirai, un jour, par me limiter à quatre ou cinq questions avant chaque «tour de table», un rituel, puisque nos invités ont été priés de lire le livre des autres.

Dahan a fait ce qu'elle a pu. A bien fait, malgré une certaine timidité. Arrive le tour du plus connu du quatuor, Godbout. Il a l'expérience. Il sait vite cerner une question, y répondre succinctement. Il sait comment réorienter une question pour y répondre à sa guise. Je relaxe! Godbout est brillant. Mordant quand il le faut. J'avais confié à Albert qu'il peut parfois, hautain, se changer en «frein», qu'il est capable si on le contrarie de jouer le cinglant. Rien à craindre, il collabore efficacement à tenter, en trop peu de temps, de bien faire valoir le contenu d'*Une histoire américaine*, un excellent récit.

Il n'a pu éviter complètement sa manie de «sociologuer» sur les bords mais son sujet s'y prête tant. Avec sa voix un peu aigre mais bien posée, son allure d'observateur lucide des tournis planétaires, il me fait un invité plutôt parfait. Je suis en fin de compte fort satisfait de cette quatrième heure sur ma «chaise électrique». Vitrine! Galopade toujours et le «revenez-nous la semaine prochaine avec d'autres livres, d'autres créateurs de livres». Musique et bois un peu d'eau, bonhomme! Décrochons vite ce micro et respirons.

Godbout s'en va causer avec le jeune «flo» Benoît. Dahan cherche des yeux des amis venus en studio, tout petit public souvent chaleureux. Gravel embrasse sa fillette, toute fière de papa à la télé. Je cherche des yeux un coéquipier. Personne! Le régisseur lève le pouce, ça veut dire que l'on est satisfait dans la cabine de réalisation.

Voilà donc quatre rubans en «boîte», il choisira là-dedans pour la première en ondes, bientôt, le grand Manitou qui doit être en train de superviser les textes de son grand «Gala d'ouverture.» Plus que onze jours pour ce grand rendez-vous, Place des Arts. J'avais souhaité qu'il mette cette quatrième émission à l'horaire du dimanche, 14 septembre. Cette première aurait bien fait voir que TQS n'a pas peur d'une heure vraiment littéraire, faisant honte aux télédiffuseurs d'État.

Parlons un moment de ce grand chiard, le Gala. Vendredi, je devrai aller louer un tuxedo, comme les autres. Comme Pascau, l'Heureux, tous ceux qui, comme moi, sont heureux et anxieux de participer activement à la naissance d'un neuf canal. J'ai déjà reçu quatre pages imprimées, le texte de notre bref sketch à tous les trois, sous la férule de Chantal Jolis. Un autre petit coup de mémoire? Avec plaisir. Nous serons comme des enfants. Nous ferons les blagues usuelles de l'énervement sous la pyramide de bois, le décor du gala. Ce dimanche, sept septembre, pour une foule de jeunes gens engagés, ce sera grand jour de liesse, l'euphorie totale, l'ignorance de ce qui allait survenir.

Revenons, fin août. Tout à l'heure, productrice et consort ont fini par sortir de la régie. Pas de commentaires stimulants. Je devrai m'y habituer. Je vais me changer dans le bureau-loge. Je ramasse mes petits papiers. Je vais chercher ma voiture dans un parking de la rue Mackay. Chez moi, ma compagne: «Pis? Ça s'est bien passé, monsieur l'animateur?» Répondre invariablement: «Très bien! Deux bons rubans dans la malle. Tu verras.» L'eau chaude du bain coule, se dire: Ouais! Pas fameux. Trop d'interruptions! Une vraie bousculade.

Le doute! Terrible, le doute! Cyclothymique, le vieux débutant en animation, un jour, se dit: «du tonnerre!», un autre: «pénible cafouillis!»

Le doute, vite, qui s'insinue, qu'il faut chasser aussitôt. Sinon on ne pourrait pas y retourner. Alors, le plus souvent: «Ça va être la première série sur les livres électrique, magnétique, magnifique et pas ennuyeuse un seul instant.» Bravo, mon gars, c'est comme ça qu'il faut se parler au creux de la tête, pas autrement.

Tête heureuse? Ça se peut, oui!

Chapitre 12
Intermède: Gala en tuxedo Place des Arts

Donc quatre émissions «en canne» comme on dit dans le jargon télé et il faut donc louer un tuxedo, aller répéter avec le dynamique Daniel Roussel et son metteur en ondes, Picard-le-gros, afin de participer activement à cette *fiesta* qui inaugurera la chaîne de monsieur Pouliot, celui qui «crache» ses écus trébuchants et sonnants.

Quelques jours plus tôt, grand rassemblement pour séance de photos. Encore? Dans le grand hall du poste rue Ogilvy. Je m'y rends mais Pierre Pascau est loin, en vacances. Gaston L'Heureux en voyage, bien loin lui aussi. Pas nerveux, les compères? Ainsi je me retrouve au beau milieu d'une trentaine de jeunes. Filles et garçons. Horreur: je me sens un patriarche. Tous ces reporters, animateurs, interviewers sont ou dans la vingtaine ou dans la jeune trentaine. Pas un poil blanc, nulle part, pas même gris! Fâcheuse impression d'être le seul quinquagénaire de toute la future station! J'en blague le premier. Surgit «Grand manitou» et il en remet. Je l'accroche dans un coin pour lui dire que tout va bien, qu'on en a déjà quatre «en boîte», que je suis un homme comblé, confiant, heureux. Il fait, à sa manière toute ricanante: «Ah b'en, viarge! C'est b'en la première fois que je rends un homme heureux, j'sus pas tapette pourtant!» Fournier regarde sa progéniture, attendri visiblement, blaguant ou piquant l'une ou l'autre. Le photographe — les petits parasols toujours — cherche de bons angles. Clic! clic! Énorme grappe de jeunesse, babillages incessants, la confluence partout, un bon bain d'optimisme. C'est merveilleux!

Oh, dieux de la télé, on sait maintenant l'atmosphère qui régnera dans la station dès la désastreuse publication des premiers sondages! Cet après-midi là, aucun doute, paquet de Rimbaud courant vers Paris se disant: «Je vais les enfoncer tous!» Facile à dire, camarades!

Je suggère l'angle du grand escalier au photographe. On s'y rassemble. Commérages, craques et piques fusent. Devant moi, accroupie et radieuse, Chantal Jolis. Derrière moi, une ex-héroïne de *Rue des Pignons*, frêle et assurée à la fois. À ma gauche, la compagne de «manitou», Louise Deschatelets, traquée déjà et que je tente de rassurer. À ma droite, une négresse si jolie, coquette, à l'accent «english»... Mais oui! nous allons triompher, c'est sûr, c'est «le vieux» qui vous le dit! J'agite mon chapeau de paille, faux paysan de ville. «Cheese», clame le photographe!

Chez le loueur de tuxedo, rue Ste-Catherine, des étiquettes partout: L'Heureux, Pascau, Fournier, Picard, Roussel. On me recommande ruban de taille et boucle rose! Pourquoi pas? Je m'en sacre pas mal. Dans un sous-sol de la Place des Arts, premières répétitions pour notre bref numéro en vue de ce gala inaugural. On rigole. Pascau très nerveux, fébrile, content d'en être. L'Heureux toujours un peu grave, farces froides, taloches et tapes au dos. Piètres acteurs! Roussel reste songeur, Bernard Picard prend des rides: «Bon, on va le refaire. Gardez le texte, vous le savez pas encore!» Grand plaisir de faire les acteurs. Chantal arrive en retard, elle doit animer tout le show, elle. Elle pétille d'angoisse maîtrisée, sémillante à souhait, le verbe haut, ma foi, plus confiante encore que «manitou».

Dernière répétition, le surlendemain. On rit moins. Le plateau du Théâtre Maisonneuve. Grand décor à escalier. Toutes ces rangées de fauteuils! Ça ne donne pas envie de rire à quelqu'un qui n'est pas du métier. Mes compères du sketch sur les talk-shows ne sont pas plus rassurés que moi. Pascau déambule nerveusement dans les coulisses noires, très songeur. L'Heureux aura la voix blanche au moment du «Soyez prêts! C'est demain!»

Lunch express dans une cave du complexe. Pierre Lalonde surexpérimenté rassure par son flegme. Jean Lapointe viendra me parler de «Paris et ses manies» dans une loge à quatre. Manitou s'amène, texte en mains, plumes de chef sur le crâne, l'air grave lui aussi: «Je peux vous faire répéter une dernière fois?» On bafouille moins. Un peu.

Le dimanche 7 septembre, c'est parti. Un monde fou, dans la salle bien entendu mais aussi dans les coulisses. On nous présentera messieurs Pouliot, le grand «boss», le grand risqueur, René Gilbert, transfuge de Télé-Métropole, et l'adjoint du PDG, Chamberland, transfuge de CFCF côté sports. Qui encore? On retient mal les noms, le trac. Le maudit! Dans une salle, un écran témoin est allumé, on s'y attroupe, attendant notre «tour» de piste! «Grand manitou» est tout démonté, on le serait à moins. Ça y est: il y a des images de bébé-réseau! Avec du son! On ne saura pas, Place des Arts, la «panne» qui va se produire. Quand l'une ou l'autre reviendra de faire son numéro, ce sera les cris de joie, les encouragements. Unis dans la ferveur, la joie de participer au baptême de TQS. «Vite, à vous trois!» Le trio en tuxedo fonce. On grimpe dans le noir. L'Heureux aura un «blanc» qu'il saura moquer habilement...

Applaudissements. Retour aux caves pour le grand défilé final. Ouf! Fin du gala!

On sait bien que le générique de la fin a fini de dérouler ses prénoms, noms et fonctions, la salle en liesse nous garde volontiers. Plein accord des amis, des parents, des supporters de tout acabit. Grands singes, nous nous transformons en quêteurs d'encouragements, si ça pouvait durer... une éternité. Nous n'aurions pas, dans les jours qui viennent, à devoir tenir, utopiques, les promesses de «manitou» ni celles que nous nous sommes faites à nous-mêmes.

D'être les meilleurs.

À plus tard, les râles, les déceptions, les changements à la grille, les remerciés et les... virés sans remerciements.

Chaud gala que ce gala-là!

La foule est invitée à un buffet monstre. Piétinements partout. Les escalators gorgés de monde. Des visages connus, des visages ravis, des visages inconnus. Tant de monde au baptême? Alors, mais baptême, ça va être un succès boeuf, on se le dit et qu'on se le dise! Déjà, dans les foyers, un film tourne... Déjà, après la fête, la télé ordinaire?

Être seul au milieu d'une foule. Trop d'amis inconnus. C'est trop. Décider alors de rentrer après une seule coupe vidée. Se méfier de tant de gentils encouragements? Oui, avoir besoin du réel. Malgré les bonnes paroles de circonstance, bien savoir que lundi prochain, 8 septembre, j'ai de nouveau deux émissions à animer en un seul jour. La peur encore? Cette sournoise. Tuxedo dans son enveloppe sur le dos, parking des sous-sols, Roger D. Landry qui a quitté la fête tôt lui aussi: «Bonne chance pour votre émission!» «Merci, merci!» Tiens, le sieur Landry n'est pas encore vraiment intégré aux «zartistes»? Avec lui, pas de ces «merde» à la con!

Rentrer chez soi. Repasser ses notes de lecture. Se répéter «ça va bien aller.» Se convaincre : quel beau métier, lundi, je rencontre une fois de plus huit créateurs : il y aura d'abord l'amusant météorologue amateur de TQS, Dany Laferrière, avec son grand succès de librairie : *Comment faire l'amour à un nègre sans se fatiguer*. Et tous les autres! Vivement, lundi.

Chapitre 13
Étiquette et best-sellers

Ce témoin intime, absolument pas objectif, la femme de ma vie, me dira, après ma décollation à TQS: «Ça va être difficile pour eux de trouver quelqu'un qui puisse parler un jour à Sœur Angèle, un autre avec le savant professeur Jacquard.» Un peu plus tard, Albert m'avoue de même: «Comment dénicher maintenant que tu pars quelqu'un qui puisse parler autant avec une Andrée D'Amour, astrologue, qu'avec un astrophysicien comme Hubert Reeves?» Je m'incline et accepte modestement cette forme de compliment. Ça fait du bien.

Il n'y avait qu'une denrée: le livre. On sait bien qu'il s'en publie de toutes sortes. Ainsi le lundi, 8 septembre, je fais face, en un même jour, à un concocteur de marmelades et de divines confitures maison et aussi à un Jacques Savoie, celui des *Portes tournantes*, capable d'une marmelade littéraire d'excellente tenue stylistique.

C'est ici le moment de dire clairement que nous souhaitions nous attirer le grand public pour l'astronomie comme l'astrologie. Nous songions déjà à inviter cette digne vieille dame, au visage étonnamment jeune, Anne Hébert, mais nous songions aussi à des vedettes populaires qui pourraient faire éditer un de ces «récits vécus» qui allèche les foules. Bref, nous allions être, c'est le moins qu'on puisse dire, éclectiques. Cet horizon tous azimuts, on s'en doutait bien, allait nous attirer les grimaces des «gens de lettres», les horions de certains littéraires qui méprisent le livre dit populaire. Comment faire autrement? Comment afficher un bon indice d'écoute en se limitant aux ouvrages de «littéraires purs»? Ainsi, un bon matin, Albert annonce à Barro et à moi: «Avec tout ce que j'ai reçu des éditeurs, nous allons parler cuisine.» Allons-y! On verra pire?

Autour de moi, le matin du 8, Lorraine Boisvenue et sa cuisine «astrologique», Sœur Angèle, omnisciente en art culinaire et qui fit *florès* chez Jacques Boulanger, *La Mère Michel* qui est Michel Chevrier et ses recettes de compotes, sauces *et cetera* et, enfin, cerise sur ce sundae-télé, une aristocrate nostalgique et une amusante ex-châtelaine, Marguerite du Coffre, avec un manuel sur l'étiquette et les bonnes manières! Je garantissais aux coéquipiers que cette émission serait légère, instructive, fort populaire. Je m'imaginais déjà «étrivant» cette dame du Coffre, dans les limites du bon goût.

De l'importance d'avoir un peu de documentation sur l'aspect «personne humaine» d'un invité. Par hasard sans doute, j'obtiens un peu de notes sur le passé de cette religieuse au bagout désopilant, Sœur Angèle. Très utiles.

Tenez, après les Fêtes, début janvier 1987, j'aurai aussi, hasard, de la documentation sur un très jeune auteur, Sylvain Trudel, qui a publié l'étonnant *Le souffle de l'Harmattan*, et ce sera essentiel. Avouer aussi, en passant, que nous avions décidé d'un commun accord, le réalisateur, le recherchiste et moi, de concentrer nos efforts sur les livres avant tout, sur les livres présentés et pas sur le vécu des auteurs. Nous nous répétions (une erreur?) que les auteurs feraient le tour des émissions, à CKAC comme à CJMS, chez Coallier du canal 10 comme chez Chantal Jolis. Le public pourrait entendre à satiété le «vécu», nous ne parlerions que du contenu des ouvrages de ces créateurs. Une erreur? J'y reviendrai.

Sœur Angèle! Je l'avais observée en cours du défunt *Train de cinq heures*, alerté jadis par ma compagne. Cette dernière ne tarissait pas d'éloges sur sa vivacité, sa spontanéité. C'était vrai. Dès ma première salve de questions, je découvrais, *de visu* et *de facto*, une bonne femme alerte, pleine de ressources langagières, capable de relever avec humour et ironie la moindre allusion que ce soit, par exemple, sur «les affreuses fricassées des couvents»! Ou sur «l'inutilité des écoles culinaires», elle qui professe à l'Institut de la rue St-Denis! Vraiment, un plaisir de la voir et de l'entendre jacasser. Cette religieuse fut une enfant engagée, dès avant l'adolescence, dans une auberge italienne au bord de la faillite et la transformait totalement. Je ne doutais plus qu'elle puisse rentabiliser la pire des gargotes! Quelle joie de «jouer» avec une invitée de cette sorte. «Grand manitou» l'ayant vu faire ne tarda pas d'ailleurs à l'enrégimenter avec «L'Heureux-retour.»

J'avais déjà croisé, dans les Salons du livre, Lorraine Boisvenue, compagne alors du vieillissant et attendrissant Yves Thériault. J'avais entendu parler de ses dons pour «cuisiner» par Yves et aussi de sa prédilection pour le zodiaque. Elle aussi répondra avec amusement, sans se prendre au sérieux, à mes facéties para-alimentaires sur les «scorpions», les «béliers» ou les «poissons». Ça allait bien! Même le régisseur, un nouveau venu, qui était une femme, souriait. Bonheur!

L'heure filait en relative quiétude. Les réparties brillaient à un rythme convenable et j'imaginais déjà l'amusement du public qui verrait plus tard les protestations indignées, bien jouées, de Lorraine Boisvenue, les petits cris de Sœur Angèle, sa gesticulation intempestive. Certes, j'imaginais aussi, dans le même temps, les grises mines des amateurs de «textes signifiants», ce public... «confidentiel» des revues avant-gardistes. Foutaise! Je n'étais pas en train de faire un ruban pour un groupuscule, suiveur d'un mouvement ennemi des ponctuations à l'ancienne! Je jubilais.

Moments d'assombrissement: la sympathique «Mère Michel» s'exprimait d'une toute petite voix et semblait souffrir de mes envolées elliptiques. Michel Chevrier fut d'un genre connu : ils ont cinq minutes mais ils s'étalent — oh! confiture — en explications ratiocinantes. Le «pôvre»! J'en vois encore, perdus, inquiets, déboussolés quand un questionneur, guetté par son régisseur comptable, tente de faire résumer en quelques minutes un labeur complexe. Qu'on ne se méprenne pas. Chaque fois, j'ai souffert avec eux, ayant fait face, ailleurs, à ces modes «express». Rien à faire, le mode-télé est pressé. La mienne de télé l'était tout autant. Je n'y pouvais rien. Et bientôt, une harpie à la voix hargneuse, Marie Cardinal, ne se gênera pas pour m'«enfarger», futée, elle déclarera : «Moi je trouve qu'on parle très mal du livre de Nicole Houde! C'est tellement mieux que ça! C'est écrit, n'est-ce pas, c'est écrit avec...» Et bla, bla, bla, les baguettes dressées. Essayer d'humilier l'animateur? Jouons les Médées offusquées? S'imaginera-t-elle au sein d'un colloque en ce royaume des minutes comptées où il faut hélas, faire vite? J'y reviendrai. J'enragerai cinq secondes de ce coup pour «instabiliser» le meneur de ce jeu affreux. Elle ne m'aura pas et, jouant de judo, je ferai : «Vous avez raison, Marie! oui, oui, vous avez raison, on en parle bien mal!» Oh la vache! J'y reviendrai, à ce septième jour de studio, à cette douzième jam-session-livres. Revenons donc à ce huit septembre.

S'amène le «petit tour et puis s'en va» de l'auguste dame du Coffre. La châtelaine allemande m'est vraiment sympathique. Je veux rester un tantinet *le voyou ignare*. Elle sourit volontiers et semble jouer le jeu mais, on ne m'a pas prévenu, son «français parlé» est fragile. Elle me déclare en ondes: «Vous parlez trop vite pour moi.» Danger de devenir le «méchant» de la troupe? Recul stratégique mais il y a tant à dire sur «les bonnes manières» que, hélas, mes questions se bousculent.

Je risque de sembler un vrai «voyou». La damnée et indispensable régisseure fait signal du «rien ne va plus, les jeux sont faits». L'émission est terminée! Fournier me fera, lui aussi, des reproches au sujet de dame du Coffre: «Écoute un peu! La pédale douce! J'aurais voulu savoir pourquoi c'est impoli d'apporter sa bouteille quand on est invité quelque part... » Je lui bafouille des excuses. Lui, Fournier, si souvent interviewé, au bord de l'indécence joyeuse, comment ne comprend-il pas l'horreur du minutage? Bien sûr, c'est une chose d'aller vaticiner avec esprit à un talk-show et une autre, il le découvrira peut-être un jour, de devoir orchestrer un ensemble d'invités. Et fort disparate ce jour-là.

Fin des... hostilités ce 8 septembre! Oui, il y a un aspect «guerre», les vieux pros du métier le savent bien, à devoir distribuer équitablement du temps très précis entre des invités. J'ai eu un plaisir fou ce jour-là. Aussi, la vitrine bien «garrochée» une fois de plus, je guetterai encore la sortie des «observateurs» du contrôle. Pas un mot d'encouragement et, comme un bébé, je m'en plaindrai en rentrant ce soir-là. Raymonde, qui est réalisatrice de feuilletons à la SRC, m'écoute attentivement mais ne prend nullement ma défense. «C'est le métier qui veut ça.» Deviendra-t-elle plus complimenteuse lors des diffusions de mes imaginaires petits chefs-d'œuvre?

Ça y est! Dimanche soir, 14 septembre, quinze minutes, hélas, avant la fin d'*Apostrophes* (certains crient «au meurtre», ne sachant pas que cette série, au Québec, est vue par moins de 1 % du public d'ici), c'est la télédiffusion de la première de *Claude, Albert et les autres*. C'est le début de la souffrance dominicale pour ma dulcinée. On veut tant, n'est-ce pas, que son «grand amour» soit surdoué, aimé unanimement, talentueux, génial si possible. Je ne l'étais pas, Seigneur! Il viendra des dimanches où, épuisée, désespérée, insatisfaite, elle me lâchera des «Vraiment, Claude, tu es superstressant! Impossible à regarder!» Un bon dimanche soir, ce sera même: «Écoute, Claude, un bon conseil, lâche ce métier, t'es pas fait pour ça. Trouve-toi donc un autre job. Ou reviens à tes romans.» Mon amour! Mauvais juge, va! Impliquée émotivement, forcément, elle m'aura jugé sévèrement jusqu'en décembre, où enfin, un dimanche soir: «Ma foi, Claude, tu t'améliores nettement. Tu vas peut-être y arriver. Ce soir (c'était avec les Carrier, Thériault, Tremblay), c'était bien! Très bien même!»

Ouf! Tu t'améliores, a-t-elle dit? Cette émission à propos du Salon du livre de Montréal était en effet pas trop mal du tout. Mon grand amour, je t'ai fait peur, non? Pardon! C'est bien fini!

Revenons à ce lundi du début septembre. Mes «culinaires» quittent le studio, apparemment, de fort belle humeur. C'est tout de même un peu important que nos invités soient heureux. Autrement... Allons casser la croûte. J'ai commandé mon Pernod et ça ne vient pas vite; je vais voir le serveur qui me dit: «Le petit monsieur, en noir, a dit: pas de Pernod pour lui, s'il vous plaît!» Sacré Albert, un vrai grand-frère, hein! Il a bien raison. Voyons voir si, bien à jeun, je serai meilleur. Après la croûte, nous recevrons en studio quatre auteurs de *best-sellers* québécois. Belle et facile occasion de continuer la promotion de quatre livres qui, déjà, ont eu du succès dans nos librairies depuis le printemps 1986. Il n'y manquera que cette *Acceptation globale*, déjà invité, ce cinquième best-seller 1986; il me reste: *Pop corn* par l'auteur de *34-A-A*, Louise Leblanc. M'apparaîtra une grande fille désinvolte, pas guindée pour deux sous, ce qui est toujours merveilleux dans un studio. Le *Loft Story* de Jean-Robert Sansfaçon, un causeur pondéré, sans aucune prétention, avec son petit côté «sociologue sur le terrain». Bien. Et qui encore du côté des «biens vendus»? Jacques Savoie avec *Le Récif du prince* dont le roman précédent, *Les portes tournantes*, pourrait devenir un film. Enfin, avec nous, cet Haïtien, Québécois d'adoption, Dany Laferrière. Belle tablée, non? Je m'y installe avec enthousiasme, m'efforçant de ne pas faire voir mes deux préférés.

Comment sans vouloir froisser indûment des épidermes sensibles admettre que tous les choix de mon «nabab» Albert ne me convenaient pas... disons également. Savoir néanmoins, en «bon père de famille» dirait le Code Napoléon, ne jamais faire trop voir mes préférences. Ainsi, le *Pop corn* en question, certes amusant, me paraissait un récit pas toujours bien ficelé. Dans ce récit *post mortem*, je peux enfin afficher mes goûts. Je vais le faire. De la même façon, le *Loft Story* de Sansfaçon me fut une lecture plutôt laborieuse. Mais Savoie et Laferrière? Avec eux, à cent pour cent! À l'émission, je vous jure bien avoir pris les moyens pour que ne transparaissent pas ces affections particulières. Si bien d'ailleurs qu'on me reprochera ce souci de justice, d'égalité devant les caméras. Je me devais pourtant d'être solidaire jusqu'au «à la semaine prochaine» de tous mes hôtes. Du choix d'Albert. Répétons-le, je faisais ce métier pour inviter le public à encourager des gens de fort talent et tous nos invités en avaient. À divers degrés!

Moment dynamique? Voilà que mon Haïtien surdoué lève le nez sur *Pop corn*, nie ses vertus, dédaigne son cheminement. Le visage de Louise Leblanc marque la surprise. Tous les culots, ces «sales nègres», n'est-ce pas? Je n'étais pas alors assez solide pour vouloir que Laferrière s'explique longuement sur son rejet du roman de Louise Leblanc. Je le regrette à présent. Je ferai mieux... la prochaine fois? Merveille: quand le tour de Laferrière vient, Louise Leblanc lui dira avoir été émerveillée par son bref récit-roman avec une belle honnêteté.

Même à la vingt-deuxième émission, en janvier, je ne réussirai pas à souligner au public que deux romans sur quatre méritaient davantage ses faveurs. En effet, aurais-je dû avoir le courage d'affirmer qu'on pouvait mettre de côté *L'écran brisé* et *La poursuite* mais qu'il fallait lire absolument *Le souffle de l'Harmattan* et *Les silences du corbeau*? Je crois qu'avec le temps, je serais arrivé à savoir séparer et signaler «le meilleur du bon».

Il y a autre chose encore: tel sait mieux qu'un autre défendre son ouvrage. Ce 8 septembre, Jacques Savoie sera plus faible que Jean-Robert Sansfaçon. Rien à faire. Il y aura sans doute toujours des écrivains moins adroits pour mousser leur poulain. Plus discrets, pudiques? C'est la dure loi de la télégénie, je ne sais pas comment nommer cela, cette faculté qu'ont les uns, que n'ont pas les autres, de savoir habilement raconter le contenu d'un livre à eux. Il n'y a ni cours, ni écoles pour enseigner aux créateurs «l'art de bien se faire valoir à la télé».

Au fait, il n'y a pas d'école, pas davantage, pour inculquer «l'art de bien animer une série sur les livres». Je ne cherche pas à m'excuser de mes lacunes. Je voudrais plutôt qu'on sache par ce récit qu'il existe dans la vie des occasions de tenter une... quoi donc?, une aventure? Qu'on le fait alors à ses risques et périls, comme on dit. Inutile dans ces cas-là de réclamer l'indulgence. L'observateur, s'il n'est pas qu'un envieux mesquin, regarde votre effort et il juge: «Il l'a, il l'a pas». Tête heureuse vous dit: j'étais en train de l'avoir! Allez-y, ricanez, rigolez, c'est votre droit. Aux autres, ceux qui s'habituaient à ma manière, je dis, trop tard pour manifester votre contentement. Jeudi, 5 février, ce sera «dehors»!

Chapitre 14

Bien reçu, over, merci.

Ça n'a pas tardé les affreuses premières réactions! Oh non! Le mardi 16 septembre, deux coups raides. Un: Nathalie Petrowski donc qui s'amène, comme tous les mardis matins, au micro de Suzanne «blondinette» Lévesque. Vlan! Dans les gencives! Papotage acerbe du genre: «J'ai vu, dimanche, la première de *Claude, Albert*... Vraiment, incroyable! Il coupe tout le monde! Il est déchaîné! Il n'y a que lui qui parle! C'est très, très mal parti. Imbuvable comme animateur... » Et bla, bla, bla! J'écoute ça et puis j'entends ma chère «blondinette» qui s'y joint férocement et avec joie: «T'as raison, Nathalie! C'est infernal. Il est harassant! Il écoute personne. C'est d'un pénible.» Et en avant le jeu de massacre. Avec, à la fin, des «On l'aime bien pourtant. Il est si drôle, le Claude! Ailleurs qu'en animateur. Si amusant quand il vient ici à CKAC.» Bref, les deux donzelles m'adorent. Pas le dimanche soir, à TQS.

Le mercredi, 17 septembre.

Ouvrons le chic *Le Devoir*. Le chroniqueur de télé, Cauchon, n'y va pas de main morte. Cette «première» (pas question d'attendre la deuxième) n'augure rien de bon. Que du pire et du désastreux. Le Cauchon en question m'avait paru, à un lancement public de la programmation, plein d'attentions, de subtilités, capable de patience. Et b'en non, il est pressé et c'est la démolition carabinée.

Ouf! Voilà le coureur avec deux couteaux dans les mollets. C'est pas grave, il faut aller au bureau d'Albert. Aller chercher les romans de Daniel Gagnon, d'Émile Olivier, les nouvelles de Carpentier et les *Ces femmes qui aiment trop* et *La peur du grand amour*. Vous le devinez, le thème de cette septième émission à enregistrer — elles passeront dans un ordre décidé par je ne sais trop qui —, c'est l'amour. Oui, L'AMOUR! Aimez-moi moins chère Suzanne, chère Nathalie! Oh!

Je ramasserai, du même coup, quatre autres livres. N'oubliez pas, on en fait deux chaque jour de studio! Cette deuxième sera faite ce 19 septembre sur le thème des obèses. Des «livres-pour-maigrir». La seule émission qui fera titiller d'aise la perspicace Louise Cousineau de *La Presse*, admettant que j'animais avec vivacité et conviction un thème pas si facile. Merci bien, détective cerbère en imperméable de nos ondes!

Troisième couteau? Samedi matin, 20 septembre, paragraphe de même encre du chroniqueur littéraire du *Devoir*. Bon! Pas content? Écoeuré plutôt, celui que la gent littéraire surnomme «Jeanaboyé».

«C'est pas grave, me répète un petit-fils que j'adore, pas grave papi, si on voit les méchants loups noirs, on aura nos bâtons!» Ce cher David! Papi goûte du bâton. En avant! Faut lire, lire, lire. Noter. Préparer des questionnements intelligents. Lisons! Il me restait les parents, les amis intimes, les voisins immédiats... Un silence de mort! Eh b'en! Suis-je si débile? Pas grave! On se rassure comme on peut: «Tous des jaloux»! Facile ça! «Qu'ils s'y essaient tous!» Facile, ça aussi!

Réagir comment? Tenez, expédier une lettre où on fera des promesses! Jouer déjà de repentir. Le faire avec drôlerie. Suzanne Lévesque lira ma «lettre ouverte» en riant à CKAC dès le mardi suivant! Avec des «on t'aime bien, cher Claude». Rire jaune! Écrire aussi aux critiques! Est-ce que ça me passera un de ces jours, devenu vieux, vieux, vieux? Je me dis, tête heureuse, que le public, lui, me vengera et sera nombreux à l'écoute. Quel beau métier, être payé, et bien, pour découvrir du Gagnon étonnant, *Mon mari, le docteur*, où une aliénée tente d'ordonner ses fantasmes. Fort! L'auteur de *La fille à marier*, unanimement louangé par la critique, récidive donc avec talent. Chapeau! J'ai hâte de le rencontrer.

Avec mes trois couteaux bien plantés dans les jambes, je reviendrai donc en studio pour la quatrième émission. Faut bien. J'ai la conviction, je veux le répéter, que le public me suivra, je saurai si vite me perfectionner, n'est-ce pas, que je les ferai tous mentir, ces sagaces «gérants d'estrade», comme on dit au monde du sport-spectacle. Bientôt, apprenant que la foule, pour une fois, vient écouter parler de livres, mes contempteurs se tairont et subitement me trouveront des qualités. Rêvons et lisons, lisons, lisons à propos donc d'une folle à lier (Gagnon), de rumeurs théâtrales dans la Caraïbe (Olivier), de cette peur d'aimer (Poissant) et de cette manie d'aimer «trop» (Guédin-Stanké).

Lisons, lisons, pour cette même journée... sur les charlatans à régimes miracle (Conway-Leblanc), sur *On est ce qu'on mange* (les docteurs Ostiguy et Marineau). Oui, un beau métier!

Voici venir le vendredi 19 septembre, hélas, les poudrettes encore et le chic pull-over signé St-Laurent, un sujet de moquerie bientôt à *Samedi de rire* quand l'excellent Normand Chouinard se déguisera en un Claude bouffon!

Chapitre 15
Macédoine sur l'amour

Chantons: amour, amour! Vieille toune! J'avais quinze ans, Pointe-Calumet, les bancs de bois au Calumet Theater. Ma première blonde. Premiers émois... Depuis 1946, tant d'amours folles! Aujourd'hui, Albert m'a amené des ingrédients d'un ordre hétérogène. Il n'y peut rien? Victime des arrivages sur sa table? À ma droite, un Québéco-Haïtien à la prose bien lyrique: *La discorde aux cent voix*. Aussi une jolie sociologue avec *La Peur du grand amour*. À ma droite, un de ces récits frémissants, sauce Daniel Gagnon, ce *Mon mari le docteur*. Aussi, une traduction de l'américain, *Ces femmes qui aiment trop*, et puis, rassemblées par Carpentier, une dizaine de brèves histoires d'amours noires! Comment bien faire? Albert, mon sacripant!

J'y fonce. Essayons de ne pas s'enfoncer. Navigation à tâtons d'abord. Mais ça va, ça va! Enfin, il me semble. Tête heureuse! C'est si doux de parler «amour», j'imagine déjà la foule immense à l'antenne quand sera diffusée cette édition spéciale!

Le Cauchon du *Devoir* a retourné son fer dans la plaie, j'ai lu avant d'aller m'asseoir dans ma chaise curule: «À Quatre Saisons, cette adaptation locale d'*Apostrophes* si remarquable par la qualité d'intervieweur de Pivot, qui sait, lui, de quoi il parle, qui sait se taire et écouter.» Bon, moi, je sais rien, je sais pas de quoi je parle, je sais pas questionner, je sais pas me taire, je sais pas écouter. Merci! «Notre Pivot local, dimanche dernier, continue le Cauchon, ne semble pas avoir saisi ce principe, il nous livre des impressions personnelles dont on ne sait que faire, une sorte de séance qui tenait plus de la thérapie de choc que de l'émission littéraire.»

Et le Cauchon d'annoncer qu'il va attendre et croiser les doigts fort fort fort! Confidence? On a envie de crier «mange donc de la marde et va donc chier». Un fond d'ex-tavernard du Pub Royal remonte en surface mais c'est pas bien n'est-ce pas, dame du Coffre? Alors, ma manie, une courte lettre ouverte et plutôt polie, ne pas braquer en vain ce pisse-froid. J'implore justement sa patience, lui explique que la formule Pivot a copié celle des Pierre Dumayet et Georges Suffert, que ces interruptions sont souvent obligatoires vu les nombreuses pauses publicitaires, qu'il y a du «colonisé» à utiliser ainsi le vocable «local» sans cesse. Enfin, qu'il donne sa chance au coureur! Pauvre cloche que je suis! Comme si préjugé et parti pris étaient déracinables. Le Cauchon ne lâchera pas sa proie. Ce n'est pas le suave «Jean-sait-tout», son boss au *Devoir*, qui va l'inviter à démordre. Que non! Ce dernier, dix jours plus tard, accompagnera volontiers une lettre de bêtises de sa compagne envoyée à mes produisants. Que c'est élégant! Merci pour la copie! Tout oublier et animer sur l'amour. Rachelle, la régisseure: «Silence partout!»

Je crâne, mon entourage technique ne se doute pas de mon écoeurement. Je souris volontiers et fais des blagues avec tout le monde et, en voiture! Je bafouille aux présentations. «On reprend», gueule ma régisseure. Gueuler fait partie du métier, n'y voyez aucune rage. Je nomme Madame Josette Guédin-Stanké, Josette Pratte, auteure et mon ancienne réviseure! Idiot! Le ruban repart à zéro et voilà que je nomme Émile Olivier, Pierre Olivier, le nom d'un dandy à deux livres *Jet set*, pleins de flashes brillants. «On reprend!» On rit. L'émission contiendra de bons moments, des faiblesses aussi. Mes tics coutumiers. Est-ce que je m'améliore? Je ne sais plus. Olivier et Gagnon sortiront du studio apparemment satisfaits du match à cinq rondes, forcément en cavalcade. André Carpentier aussi. Il a invité, «en ondes», Gagnon à joindre ses éditions collectives. Beau moment!

«Revenez-nous la semaine prochaine pour... » Musique et générique de la fin. Je suis content de moi, mais oui. J'ai un peu mal. Je ne sais où exactement! Pas grave le bonhomme, va prendre une bouchée. Ce soir, on remet ça avec la question des obèses. Pas de pastis! Albert veille... au verre! Un peu de rouge, mon cher élixir.

On nous a conseillé d'avoir «un nom connu» le plus souvent possible. S'amène donc Danielle Ouimet, ex-star de cinéma olé-olé, devenue radiowoman dans les Laurentides. C'est «Jésus bien blond au milieu des docteurs Ostiguy et Marineau.» Ces derniers coopèrent parfaitement avec le vilain questionneur. J'ai décidé de jouer l'ignare en la matière. Ce que je suis pas mal. Des rires. Ça détend! Dès le départ de ce thème albertien: *Les livres en trop*, les aveux pathétiques d'une «grosse» qui a connu les charlatans «à pamplemousses», «à comprimés miracle» et à «bandelettes humides». Je sortirai du studio en sueurs et content. On verra bien. Je me dis que TQS reconnaîtra qu'on n'est pas une bande d'intellos prétentieux en visionnant cette huitième émission où se combattaient les muscles et la... graisse!

Lisez tout de même: *Voyages en montagnes russes*, récit vécu de Sandra Conway-Leblanc. Les hauts et les bas d'une obèse traquée par les normes de la silhouette idéale. Un fort émouvant document, je vous jure. J'aurais voulu faire toute l'heure avec cette «grosse femme» à mes côtés, fragile et bouleversante. Souvent, ainsi, je serai tout aussi frustré que nos téléspectateurs.

Chapitre 16
Éloge de la différence

Samedi matin, le 20 septembre, samedi matin le 27, samedi matin le 4 octobre, les piques du chroniqueur-lettres du *Devoir*, un peu de bave, un peu de fiel. Ses quelques lignes pour annoncer, à sa façon, notre émission du lendemain avec le ton du mépris. Une tranche hebdomadaire de son saucisson malodorant. Que c'est stimulant, croyez pas?

Le studio Centre-Ville n'est plus libre, nous n'y retournerons qu'à la fin octobre. Temps de repos? Pas pour Albert qui veut rassembler cinq «histoires de vie» bien sociologiques avec la célèbre greffée, Diane Hébert, en tête. Et moi je dois lire, lire, lire.

Quoi de pire? Six pages sur papier-ordinateur, envoyées aux bureaux de la compagnie. Je vous en ai parlé plus avant. Voici le détail de cette aimable bordée signée La France (*sic*). Le suave compagnon de madame Royer y a joint sa petite épître de conseiller désintéressé plus une lettre manuscrite à mon intention personnelle. Le paquet! Généreusement madame Micheline nous prévient: «Dans sa facture actuelle, l'émission a peu de chance de survivre.» *Alea jacta est,* ma foi! Bonne prémonition! Elle fait de l'analyse, nous écrit-elle humblement: «Les gens lisent ici un peu plus qu'en France» (!) «Les Québécois, c'est vitalité, intelligence et sensibilité», beau jugement global! Et puis: «notre littérature circule non seulement au Québec, mais dans le monde.» Bon, circulez, circulez, dit le flic! Et encore:

«Votre émission ressemble (à ceci, à cela...) à n'importe quoi sauf à une émission littéraire qui marche!» Compris?. «Notre émission, ordonne-t-elle, doit créer des vedettes.» Je veux bien, j'ai louangé *Le Récif du prince* de Savoie qui le méritait tant. Savoie n'est pas encore une vedette? Bizarre, ça! Elle nous renseigne utilement: «Pivot, ça marche parce qu'il croit à la littérature.» Ah bon! Y avoir songé... «Votre émission sur les régimes amaigrissants? Un gouffre sans fond!» Diable! plutôt une montagne sans fin! La dame décrète que le public est las des livres sociologiques sur *comment faire une omelette* ou *réussir son divorce.* Nous prenons bonne note, tendre pythie! «Jasmin craint d'ennuyer en étant plus profond. Sa superficialité ennuie.» À la fin de sa diatribe, un dernier avis: «Impliquer davantage le milieu littéraire... Jasmin n'a pas trouvé son style.» Le compagnon de dame La France? Il endosse cette analyse. «Il ne faut pas prendre le public pour des niais.» «Oubliez votre enfance et cessez la séduction de vos invités.» Le Saint-Jean termine apocalyptiquement: «Changez de cap avant de sombrer.» Quatre émissions ont été diffusées seulement pour cette série de vingt-six et on risque déjà de couler? Le désintéressé Royer me signale aussi qu'il y a «la poésie» et de ne pas oublier qu'il y a son *Tome 3* d'entretiens, pas encore mentionné à l'émission. On lit ça et on chante, créolisant: «C'est bon pour le moral, c'est bon pour le moral.»

L'adjoint de Madame de, Pascal Desjardins, lit et relit cet évangile de la rue St-André, mon réalisateur et mon «chef» ricanent volontiers puisque «tout le monde est pour la vertu et contre le vice», n'est-ce pas? Et moi? Eh oui! je réplique mais en évitant le ton polémiste. Sans me retenir de condamner ce chapelet de demi-vérités et de pronostics pessimistes, rejetant plutôt cavalièrement cette mauvaise humeur de gens qui sont «en littérature» comme en un sacerdoce étroit et puritain.

En résumé, Pivot savait et moi je ne savais pas. Faire l'éloge de nos différences? Pas question. Comparaison d'une pomme et d'un... navet! Je me répétais: surtout ne pas trop prêter l'oreille aux clans, cliques et chapelles littéraires. Garder en vue qu'il nous faut un public nombreux sinon, oui, la sombre prophétie lachancienne et royerienne aura lieu. Bébert hausse les épaules et téléphone sans répit pour inviter, par exemple, cette sœur du tueur à gages repenti, Lavoie. Christine Lavoie nous fera envoyer le manuscrit de *J'ai un frère dangereusement célèbre*. Je dirai «malade» en ondes, lapsus significatif, n'est-ce pas, Mister Freud? Et Ginette Bureau racontera son débat-combat avec sa fillette leucémique. Et qui encore pour faire enrager les littératurisants en vase bien clos? De quel droit cette condamnée, Marie-Lyse Labonté, ose-t-elle rédiger un livre sur sa bataille anti-paralysie? Un livre, c'est du domaine sacré, ça! Le saviez pas, iconoclastes?

Je lis, je note, je rédige des questions valables. Je me prépare. Pour la neuvième édition, me voici en face de ce brillant généticien, le savant Albert Jacquard. J'écouterais ce volubile vulgarisateur durant des heures. J'ai cinq minutes à lui accorder, misère! Heureusement que la formule «para-pivotienne» me permettra, lors des tours de table, de le requestionner. Et voilà qu'il fera en ondes l'éloge du recueil de nouvelles d'Hélène Rioux. Je la verrai devenir toute rose. On le serait à moins. Jacquard, les yeux pétillants d'admiration sincère, lui déclare spontanément qu'il a lu son bouquin dans sa chambre d'hôtel, qu'il l'envie, qu'il admire son pouvoir d'écrire de si étonnantes histoires. L'animateur en est comblé. Rioux davantage. Elle balbutie des «merci». Son livre, *L'homme de Hong-kong*, est signé par une femme qui a descendu «en flammes» mon dernier petit polar, *Alice...*, dans *Le journal d'Outremont*, mais je suis si heureux du généreux témoignage de Jacquard à son égard. J'ajouterai mes modestes éloges car ses nouvelles sont écrites d'une manière éblouissante.

En studio, il y a aussi, d'une part, cet ex-Marocain, Bob Abitbol, avec une plaquette toute modeste sur l'enfant ébloui qu'il fut au bord de la Méditerranée, d'autre part, un Jacques Langlais plutôt maladroit à bien résumer, ce n'est jamais facile, un livre essentiel sur les épopées conjuguées des Juifs d'ici avec les Canadiens français. Ce *Deux cents ans de vie commune* relate des faits troublants, un racisme parfois larvé, parfois éclatant. C'est une lecture révélatrice. Mon invité semble désorienté par la vitesse de la croisière, hélas! Cinq invités, c'est trop? On prendra des résolutions pour l'avenir. Pas plus de quatre!

À cette neuvième journée de studio, je découvre avec bonheur un Pierre Nepveu et son récit d'un romanesque moderne où une infirmière, Mira Christophe, Haïtienne doublement exilée, voit ses amours sombrer au bord du Pacifique, à Vancouver. Nepveu signe un livre épatant, plein d'images rares. Il a un sens du visuel d'une richesse envoûtante, ce que je lui dis en ondes. Ses yeux brillent. Il s'en ira très content, apparemment. Moi aussi, je quitterai le studio plutôt content. Cet émigrant, marocain juif, Abitbol, a su être clair sur la difficulté d'être «aussi» un Québécois. Le généticien de réputation mondiale est resté l'humble communicateur au verbe toujours intelligible. Rioux, trop rapidement je le sais bien, a pu participer à cet «éloge de la différence.» Langlais me dit «au revoir» sans trop laisser voir qu'il n'a pu vraiment décortiquer toute la matière de son captivant ouvrage écrit avec

David Rome. C'est le jeu de la télé, ils le savent bien, il n'y a que le livre pour donner le temps d'approfondir. Vive le livre!

Au repas du soir, chaque fois, je m'efforce de ne pas jouer l'animateur trop curieux de bien savoir comment il a été. Ma pudeur à moi. Je préfère la détente. Je m'imagine que les compagnons de studio, eux aussi, ont besoin de parler d'autre chose que de ce ruban qui est fait, qui est en boîte, du «passé magnétique» avec ses qualités et ses défauts, trop tard. C'est fait.

Tantôt un autre match à livrer. Il faut parler «match» dans notre système de télé nord-américaine avec six pauses, douze minutes accordées aux murmures ou au vacarme des marchands. Un sale boulot? Je le penserai parfois, plus tard, quand viendra décembre, et surtout janvier, avec notre barque criblée sur tous ses flancs, les rumeurs extravagantes, les menaces, le doute total, la recherche bousculade pour nous trouver des changements. Les déplacements sur la grille horaire. Les commanditaires qui vont nous lâcher un à un. Je n'ai pas si hâte d'y plonger.

Au retour du restaurant italien de la rue Crescent, nouveau «panel», avec cinq récits vécus. La rencontre de cette fameuse greffée, Diane Hébert. La lecture de son témoignage m'a fait pleurer, parfois de désolation, son combat incessant contre son infirmité effrayante, parfois de joie, ce courage absolument, littéralement surhumain. L'auteur de ce récit si émouvant est là, à mon côté et je crains déjà, avant le «Silence partout», de mal savoir dire mon admiration totale. Cette Diane Hébert, lisez ce livre, est une héroïne des temps actuels, une vraie!

On y va! Dix secondes, neuf, huit... La petite voix de ce preux chevalier Hébert se fait entendre, et je sens dans le studio un silence religieux et je souhaite que ces moments exaltants seront bien perçus de l'autre côté de l'écran de verre lors de la diffusion. Une heure avec elle, au moins une heure! Que dix minutes hélas, hélas! C'est la dure loi des ondes à l'américaine.

Le récit, sur sa fille Mona, de Ginette Bureau n'est pas moins exemplaire. Mona est morte, et c'est un tome deux pour cette mère au visage resté serein. J'ai du mal à comprendre. Où puise-t-on, par tous les saints du ciel, cette volonté farouche de tant résister, de garder confiance contre toute attente, contre tous ceux qui vous disent «rien à faire»? Ginette Bureau sourit, imperturbable, quand je la questionne là-dessus: «c'est l'amour». Après ces lectures, après cette émission, je m'en irai en me blâmant de tant me soucier pour une simple série-télé, petit parcours insignifiant en somme dans l'existence d'un individu. J'en éprouverai longtemps une sorte de gêne, de la honte même. Mes invités, eux, ont traversé un désert autrement périlleux que mon aventure «en milieu livres». Toutes les cinq, ce soir-là, m'aideront à bien relativiser mes déceptions de l'heure.

Marie-Lise Labonté, sortie vivante de la condamnation médicale, elle aussi fait voir un visage heureux. Elle a fait un très long voyage en des thérapies diverses, parfois utiles, parfois folichonnes. Devenue elle-même thérapeute, elle affirmera ce que je crois: l'importance de contrôler ses images mentales, d'affronter carrément les démons du mal physique qui, bien souvent, sont d'origine mentale.

Un autre voyage? Je l'ai dit publiquement ce jour-là, un voyage au bout de la nuit, célinien vraiment. Celui de Christine Lavoie, enfant abandonnée en crèche tenue par des religieuses pour la plupart sadiques, fillette ballottée en certains «foyers d'adoption» où l'on fait suer l'orpheline pour, seulement, un peu de nourriture et un lit, adolescente déboussolée, exilée de son Saguenay natal, errante dans un Montréal-la-nuit bien rempli de lascars intéressés. Son bordel privé à Niagara Falls... Oui, un voyage infernal que cette existence avec, ombre inquiétante, ce frère, bandit notoire, jouant bizarrement le surveillant de cette cadette. Elle finira par avoir besoin de cet exorcisme efficace: narrer ce passé sordide. Elle sourit. Elle est gênée. Sent-elle qu'un certain public va bouder, qu'il préfère, joli petit public, un beau livre bien littéraire. Merde!

La sociologue Danielle Desmarais, en fin de parcours, va tenter d'expliquer la nécessité et l'utilité de ces «récits de vie» pour la sociologie certes, pour l'inconfort aussi des petits bourgeois comme moi qui chialons pour vétilles et broutilles. La grande affaire: le «milieu littéraire» me boude? Ce soir-là, une fois de plus, je quitterai la rue Bishop intensément satisfait du boulot d'Albert Martin. Certain, bien certain que cette émission va rallier à jamais ce public «général». Que désormais, après cette émission, il reviendra nombreux à l'écoute de *Claude, Albert et les autres.*

On verra bien, hein?

Chapitre 17

Crise d'octobre à Quatre Saisons

Les feuilles mortes se ramassent à la pelle? En octobre, oui, au bord du lac Rond. Ça sent quoi? Bon? Plutôt des souvenirs de papa brûlant aussi les tas de feuilles jaunies, dorées, rougies, au bord du lac des Deux-Montagnes. Mon petit frère Raynald, qui veut toujours toucher au feu. Parler moins de son enfance, n'est-ce pas? Tant pis si Antoine de St-Exupéry clame: «On est de son enfance comme on est d'un pays.» Devoir aller faire mon petit tour, hebdomadaire si possible, à cette Résidence St-Georges, rue Labelle, au sud de chez Cousin-le-bon-pain! Tiens, ça déteint de travailler chez les marchands murmureurs, hein, mon Godbout? Il y a là, au troisième étage de cet aimable mouroir, maman, ma bonne vieille Germaine. Elle ne pleure plus. Elle ne chiale plus. Ne me chicane plus du tout. Elle me reconnaît parfois, à 87 ans, elle me dit: «Mon pauvre Claude!» Je ne sais jamais pourquoi elle répète «Mon pauvre Claude!». Je tenterai encore, en cette fin d'octobre, de la faire sourire. Elle me parle de son papa, de ses petites soeurs, est replongée en enfance. Je joue le jeu, lui parle de la boucherie de grand-papa Lefebvre dans sa petite rue Ropery, près du canal, à Pointe-St-Charles. Une de mes soeurs collera près de son lit, au mur de sa chambre d'hôpital, une photo couleurs du grand frère «animateur à la télé» désormais! Maman, l'index vers le mur: «C'est pas toi, ça, c'est pas toi, mon Claude!»

En effet, est-ce que c'est bien moi? Infirmières polies: «C'est très bien votre émission le dimanche, très bien.» Toujours le doute! Est-ce qu'on la regarde? Nous recevrons une réponse fracassante. Viennent d'être publiés dans toutes les gazettes les premiers sondages. TQS obtient des miettes d'auditoire. Un 4 pour cent! Comme la télé éducative de Radio-Québec! Ce sera le début de l'affolement général derrière la gare Jean-Talon, rue Ogilvy. Le début des tracas pour tout le monde. Pour nous aussi. Nous nous jetons sur ces chiffres incroyables. Quoi? Avoir proclamé que nous étions «la télé de l'année» et récolter une si mince part? Quoi? Nous étions si fringants, si sûrs d'attirer, au moins par la curiosité, des masses et des masses. 4 pour cent, que 4 pour cent? C'est dur à avaler. Consternation un peu partout. «Grand manitou» doit mal digérer. Installé, rue Rachel, notre groupuscule va tenter de jongler avec ces chiffres. Rien à faire. Fait têtu. Les chiffres sont les chiffres, ils parlent bête, ils parlent franc. Chanceux de Bernard Pivot avec son petit 12%. Nous démener tant et obtenir si peu. L'ange noir du découragement bat des ailes dans les petits bureaux. Bien faire attention de ne pas se laisser abattre. On fera mieux aux prochains sondages. Enfin, on se répète ça et puis au fond de nous, le doute. L'affreuse bibite, le doute!

«Mon pauvre Claude», disais-tu, maman Germaine?

Ça se peut pas, maudits sondeurs! On dit des conneries: il y a eu erreur, ils vont se reprendre, rectifier... Rêvons! Eh bien, dans un mois, nouveaux coups de sonde et ce sera pire encore: 3 pour cent! Plus bas que Radio-Québec? À la SDA, ils examinent les chiffres un à un. Notre indice d'écoute serait en dents de scie, nous répétera Madame de. Il faudra plusieurs jours, soit dit en passant, avant que l'on daigne me montrer «nos» chiffres précis. La peur de démoraliser l'animateur? Sans doute. Quand je verrai ces chiffres, je devrai en effet constater qu'un dimanche soir, c'est bien plus que le 30 000 dont m'avait parlé un membre de l'équipe. Un autre dimanche soir, chute de milliers de spectateurs, on aura 14 000! La semaine suivante: 48 000, un autre, 19 000. Vraiment la montagne russe de Sandra Conway-Leblanc. Nous en maigrissons d'étonnement. Albert, agacé, me répète qu'il n'y a pas moyen d'obtenir les indices d'écoute pour les «reprises» du dimanche après-midi. Il faudra de très nombreuses semaines avant qu'enfin nous apprenions que ça va deux fois, parfois trois fois, mieux «en rappel» (comme dit la chaîne du Grand manitou). Si bien qu'en additionnant les deux chiffres, matinées et soirées, nous voguons dans le cent mille. Ce qui me rassure à peine. C'est plus de monde qu'au Stade olympique, se console-t-on, rue Rachel.

Mais jamais nous ne saurons combien, quel chiffre, exige la station de monsieur Pouliot pour que la série aille au-delà du contrat de 26. Jamais! Mystère! Souvent je me suis dit que TQS avait commandé cette série pour la «bonne bouche», pour faire plaisir à la CRTC. Afin de servir de caution morale à une programmation faite souvent de dumping-USA. Je me trompais sans doute. Je répétais: «Public ou pas public, notre émission, relativement bon marché à produire, sert de parade culturelle.»

Finissons-en avec octobre. Albert décide encore unilatéralement, je le tolérais volontiers, de deux nouveaux panels. La onzième? Nostalgie et petite histoire. Le passé. Un de nos maîtres! Monsieur Jean Éthier-Blais, le seul qui le fera à ma connaissance, finit... par refuser l'invite à passer sous mes pauvres petites fourches caudines. Prétexte? Albert: «Blais refuse de venir s'asseoir avant tant de curés.» Je le regrette. Lors d'un congrès d'auteurs, à Mont-Gabriel, il avait été mieux qu'amical avec moi et ce, malgré quelques brouilles du temps où il trônait au *Devoir* en pages littéraires. J'aime ce mince jésuite laïc! Il a de l'esprit, triste et enjoué à la fois. Je le prévoyais très capable de co-animer l'émission, tant pis! Les deux curés? L'ineffable télégénique Ambroise Lafortune publiant un nième tome de ses pérégrinations sudistes et l'indécrottable optimiste, le dominicain Marcel-Marie Desmarais, longtemps conseiller moral à la radio avec un long dialogue radiophonique justement. Avec ces deux missionnaires, le Jean Tétreau du «François Hertel», homme aux paradoxes parallaxes! Enfin, le Français Bernard Simiot, le conteur des Malouins d'antan en tournée québécoise pour fin de promotion normale.

Notre compote albertienne prendra solidement et nous fera connaître une cime aux indices d'écoute. Je devrai ce succès inattendu à la faconde drolatique d'Ambroise. Pour cette occasion, ce sera lui le «coupeur de sifflet». J'en rirai volontiers. C'est le moment de déclarer que je suis toujours disponible à rivaliser de jactance avec qui que ce soit, que je suis toujours allègre de me retrouver avec plus bavard que moi, j'aime l'incontinence éjaculatoire, bon! Une autre figure fit *florès*, celle du père Desmarais. Joufflu, rosé, il saura prendre des mines de gras raminagrobis plaisantes en diable!

Le biographe d'Hertel, quant à lui, n'a rien du jaseur incontinent. Tout le monde n'est pas surdoué en facéties ironiques comme le frétillant Ambroise. Tétreau, du type de Jacques Langlais, me sembla lui aussi instabilisé par le rythme des échanges. Nous avons pu cependant parler un peu de ce terrible Hertel, défroqué bien avant «la vague» des années 60, exilé et pas très heureux en France. Monsieur Simiot, avec le deuxième tome de sa saga malouine sur la table, se trouva plutôt décontenancé. Il me le dira, me signalant même, malice aux yeux, qu'il avait prévenu, en coulisse, les deux curés qu'il avait étudié chez les pères maristes en France! Sa «suite», avec sa famille Carbec, est un long et lent récit bourré de romances et de faits historiques vérifiables, emmêlés.

À la fin de cette onzième heure, Albert sembla enfin moins malheureux lors du défilé-vitrine. Désormais, je me rendais à son bureau pour recevoir sa précieuse «pile à publiciser» et je rédigeais moi-même, à l'aide des communiqués, les notes de présentation, ainsi un certain naturel passait mieux. Il faut me croire, nous aimions tant ce boulot que la publication des affreux sondages BBM fut vite oubliée. Tous des têtes heureuses?

Dévorant mes spaghettis au souper, je suis pressé d'affronter la deuxième équipée pour la douzième heure. Je trouvais le thème élu par Albert tout excitant: la folie! D'abord, j'avais lu avec gourmandise le Julien Bigras de *La Folie en face*. Quel étonnant révélateur des secrets de son cabinet! Bigras sait jouer de suspense, son livre n'a rien d'un docte document de psychiatre, il sait nouer les confessions stupéfiantes de quelques aliénés profonds, en faire une curieuse fresque, du domaine du cauchemar éveillé. Ensuite, j'avais découvert une jeune auteure capable de peindre avec une incohérence toute calculée la folie furieuse d'une incestueuse à la jeunesse écrabouillée. Cela se nomme *La Maison du remous*. Pas un roman ordinaire, plutôt le récit haletant d'une âme assassinée par la misère physique et spirituelle. Hallucinant conte noir!

Par contre, l'épais roman d'Irène Frain, en tournée québécoise, m'était tombé des mains à plusieurs reprises. L'auteure célèbre du *Nabab*, avec ce récent ouvrage, écrit dans une manière passéiste, m'avait semblé n'être pas arrivée à bien relier tous les fils d'une intrigue de «bandes dessinées» banale. Médiocre plaisir. En revanche, la *Médée d'Euripide* de Marie Cardinal contenait une longue et révélatrice préface, un morceau brillant où (consciemment?) l'auteure nous conviait à un parallélisme saisissant entre la tragique délaissée d'Euripide et... elle-même, puisque sa «vie privée» avait été dévoilée par ses anciens récits.

Pour Bigras, j'avais préparé deux questionnaires et j'hésitais. L'un cernait simplement le contenu de *La Folie en face* et l'autre prenait un peu l'allure «inquisiteur». Son livre, lu d'une traite, avait soulevé chez moi un tas de questions, disons d'ordre éthique; je me demandais si un médecin spécialisé pouvait ainsi, en camouflant plutôt mal le nom de ses patients, utiliser des confidences si pathétiques, en faire de la littérature? Lâcheté, besoin de plaire, de séduire absolument, diraient mes contempteurs, vulnérabilisé par les critiques, en tout cas, je mettrai de côté le deuxième filon et l'échange se fera dans les limites de la courtoisie la plus heureuse. Quoi qu'il en soit, je serai toujours admiratif face à ces soigneurs d'un ordre particulier et lui dirai en ondes que ce doit être effrayant, littéralement, de tenter le dialogue avec des fous, des êtres dangereux au dire même de Bigras.

Madame Frain fera sérieusement sa besogne promotionnelle et je ne ferai rien pour laisser paraître ma déception de lecteur. Le public, il me semblait cela à l'époque, aurait mal compris qu'après avoir invité tel auteur, l'animateur se charge de lui reprocher la qualité de son ouvrage. Il me semblait!

Hélas, la talentueuse Nicole Houde, dès le début de l'entrevue, montrera des signes d'affolement. Je me souvenais, chaque fois que cela survenait, de mes cafouillis des années '60 quand on m'invitait à la télé pour tenter d'expliquer *La Corde au cou* ou *Délivrez-nous du mal*, mes premiers romans. J'aurais voulu qu'on fasse stopper ce maudit ruban magnétique, pouvoir rassurer Houde, lui recommander le calme, un peu plus d'assurance et, surtout, mettre au clair la chaîne de ses idées. Elle m'était sympathique. Il ne s'agissait pas vraiment de timidité, je crois qu'elle sait sa valeur, il s'agissait d'inexpérience.

Enfin, non sans appréhension puisqu'on m'avait un peu prévenu du caractère de la célèbre auteure de *Des mots pour le dire*, viendra le tour de la traductrice de *Médée*. Au départ, elle aura ce regard altier à la Philippe Djian de douloureuse mémoire. Tout de suite, correction et redressement de mes premières questions avec affirmations péremptoires de celle qui sait tout! Je ne sais pourquoi je suis toujours au bord du fou rire en face des péronnelles, de ces gens qu'on appelle «les donneurs de leçons». Tactique infaillible avec ce monde-là: arrosage de compliments. Alors, chaque fois, ils se calment, baissent aussitôt le ton et consentent mieux à vous instruire, pauvre béotien! Quel beau jeu! Quelle belle joute! Au moment du «au revoir», chaleureux chez Bigras, distrait chez Houde, poli chez Frain et un peu dédaigneux chez Cardinal, je rentrai chez moi très, très confiant du succès de cette «douzième».

Chapitre 18
Le mois des morts : novembre

À CKAC, un maudit mardi matin, deuxième attaque de la belle Nathalie, critique de télé à *Touche à tout* avec «la maman-de-Youri», une certaine Suzanne! «Eh bien, Jasmin a pas tenu ses promesses.» Suzanne va renchérir: «Une si belle lettre ouverte, on a tellement ri! Tu as raison, je suppose!» Et patati et patata. Patatras! Je me fais démolir! «Je me corrige pas. Je laisse pas causer mes invités. Je suis *speedy*. Trop. Ça n'a aucun bon sens. C'est une machine à couper les gens. Affreux!» Encore une fois, ma grande admiratrice Suzanne y va soudain de son appui massif: «Il l'a pas, il l'a pas, pantoute!» J'écoute ça avec le dernier Hubert Reeves sur les genoux et je me dis merde, c'est faux, je m'améliore! C'est de la mauvaise foi.

Et Reeves me reconduit dans l'infini de l'azur. Je veux oublier. Au classique, camarades: «Que vouliez-vous qu'il fît?» Eh oui, je sors mes feutres de dessinateur et je rédige une large lettre de menaces. Sous couvert d'humour, je me défends, je les attaque, je termine (ne jamais se prendre au sérieux) en rigolade promettant que si mes deux commères de CKAC récidivent à mon sujet, je filerai vers la rue Metcalfe, je grimperai au quatrième et je crêperai ces deux chignons, vraies ou fausses blondes! Le vendredi matin, lecture enjouée de ma lettre de menaces ouverte au micro. L'animatrice va hoqueter de rire et moi aussi en l'entendant. Vous voyez bien que je ne suis pas rancunier.

Le lendemain, le samedi, c'est forcément le feuilleton anti-Jasmin du compère Royer au chapitre *Les ondes littéraires*. Pivot y est évidemment recommandé avec chaleur, à CBF-FM que du profond, et chez moi... de la merde! Bon, bon, bon! Je me replonge dans un ouvrage du physicien et vulgarisateur Jean-Marc Carpentier, animateur à Radio-Québec côté sciences, je voyage dans son livre avec les anciens et nouveaux astronautes.

Consolation? Ce même premier novembre, j'y reviens, je suis en page couverture de *La Presse*, cahier *Arts et spectacles*. Photo de votre serviteur «pleines couleurs». Interview positive de Jean-Paul Soulié. Mais... mais... pas de plaisir solitaire, oh non! On en a profité pour commander aussi une interview, faite à Paris, de mon inséparable homologue, lui toujours!, que j'admire, eh oui, Bernard Pivot! Il a l'honneur (!) de poser pleines couleurs lui aussi à mes côtés! Sur nos deux têtes, la manchette en bleu royal: *L'art de vendre le livre*. Frisson d'appréhension. Comparer un «jeune ancien» au métier de dix années, lui, et un «vieux» à sa septième diffusion, moi. Ainsi, le directeur de ce cahier, le sait-il, par ce jumelage, renforcera encore l'odieux jeu de comparaisons en milieu d'élite. Taisons-nous, tiens!

Le reporter Soulié est venu rue Rachel acceptant volontiers de visionner de prochaines diffusions. Il semble plus qu'intéressé à la question: «La série peut crever vite ou se poursuivre.» Sympathique, il en viendra à soupeser avec nous, amicalement, les chances de réussite ou d'échec. Sur le ton des confidences, la confiance, je fais mon autocritique sans ambages. L'article qu'il produira, c'est courant, est davantage sa réflexion que le classique questions-réponses. Il a cru bon d'aller sonder aussi les cœurs et les reins de certains marchands de livres. J'en ai parlé plus haut. N'ajoutons rien. Seulement réfuter cette grossièreté: «Faudrait que Jasmin cite moins souvent son éditeur (c'était Leméac), il aura du mal à affirmer son indépendance.» Cela, vraiment, est une cochonnerie indigne d'une libraire de la chic et honnête rue Laurier. Passons.

Fin d'article parisien de Louis-Bernard Robitaille: «Pivot peut faire vendre 5 000 livres le lendemain de son émission.» Tête heureuse lit et se dit: «J'y arriverai. Dans un an, dans deux ans? Nous ferons vendre des tas de livres.»

Début novembre, septième jour de studio, ma treizième expérience et je voudrais bien passer en bonne vitesse. Il me semble que c'est le bon jour. Il y aura Michel Tremblay. Alors je sais d'avance qu'il fera un invité de première force, je ne l'ai jamais vu rater une interview. Il a ce don de dire toujours les choses essentielles, il n'hésite jamais à se mettre en cause, à relier un ouvrage avec ce qu'il vit. Oui, grande confiance ce lundi-là puisqu'il y aura aussi Roch Carrier, bon causeur, capable de truculence, bien pesant de réalité, sachant rire volontiers. Et puis, avec eux, Marie-Josée Thériault, une auteure qui, jeune encore, n'a pas froid aux yeux, est capable d'une pensée articulée. Je ne connais pas Louise Dupré mais j'ai bien aimé son petit livre *Chambres*, fait de cette poésie apparemment quotidienne, recelant la magie des images métamorphosées. Et puis, nous allons accueillir une nouvelle venue: Lucie Roberge qui vient de remporter l'annuel Prix du Cercle du Livre de France. C'est un «scoop»! Le livre n'est pas encore imprimé. Bien plus, Albert et moi sommes dans le secret avant la presse officielle. C'est excitant.

Il y a la première émission de ce jour à enregistrer mais rien à craindre, Reeves est toujours fascinant quand il parle des infiniment grands, un vulgarisateur expérimenté. Un livre de Danielle Ouellet, de Québec, raconte intelligemment la vie d'un pionnier d'ici, Adrien Pouliot. Et Jacques Filion, venu de Québec lui aussi, publie une sorte de pamphlet «anti-progrès scientifique à tout prix»; il fera sa part au thème du *danger de l'hiver nucléaire*.

Revêtir mon linge de prix. Les crèmes maquillantes. Mes notes. La mémorisation. Et la régisseure Rachelle toute confiante: «On y va? Ils vous attendent. Ils ont tous l'air enthousiastes.» Allons-y!

L'ex-Montréalais, mondialement connu, Hubert Reeves, ne me décevra pas. Il prend sa voix sans âge, son débit de raconteur amusé par l'univers et, oui, une fois de plus, j'aimerais le faire parler... des heures. Avec Carpentier, métier aidant, aucun danger de dérapage, de périphrases à confusion, il comprend immédiatement le rythme plutôt effréné du genre et fournit des propos clairs sur l'histoire plus vieille qu'on croit de l'homme jouant Icare. Merveilleux! Jacques Filion rentre ses griffes et ses crocs et, en aussi brillante compagnie, se contente d'ironiser calmement sur la bousculade mortelle des fols amants du nucléaire.

Il est évident que la jeune mathématicienne Ouellet, transformée en biographe, n'a pas l'expérience des trois autres. Nous parvenons un peu à illustrer ce bonhomme inouï que fut le professeur Adrien Pouliot qui est, c'est une coïncidence, chère libraire d'Outremont, le papa de Jean Pouliot, le grand «boss» de Quatre Saisons.

Remettre mon linge de tous les jours. Partir manger steak-frites et boire vin rouge. Revenir. Le beau linge de la SDA. Repoudrage sommaire et déjà, oui? «Faut y aller! Soyez prévenu, Michel Tremblay est très nerveux. Il nous a dit son «trac» à chaque nouvelle publication.» J'y cours, j'y vole!

Aveu de nouveau. Le roman de Tremblay (mais oui, publié chez Leméac!), lu en manuscrit, narre une situation homosexuelle qu'il vient de vivre. Je connais assez l'auteur des *Belles-soeurs* pour savoir qu'il ne s'offusquera pas si j'indique au public qu'il s'agit, avec *Le Coeur découvert*, d'une transposition pas plus romancée qu'il faut. Eh bien, je reculerai face aux caméras. Maudite pudeur! Puisqu'il a le trac, si jamais il allait se cabrer? Ah, faire vendre moi aussi des milliers de copies au lendemain de la diffusion! Non, ce sera le grand voile habituel sur «la vie privée» et tant pis pour les ventes en librairie. *L'Envoleur de chevaux* est un recueil de contes d'ordre onirique, c'est «très écrit», précieux même parfois mais sans ridicule aucun. Le réalisateur m'ayant dit aimer quand je lis de brefs extraits, je le ferai pour Louise Dupré et pour Thériault, une si luxueuse prose. Voilà que Thériault fait une envolée: elle n'apprécie guère ces *Chambres* de Dupré! Malaise de ma part et c'est idiot. J'empêche ce début de critique. Bêtement. Regrettable? Je ne sais plus. Un peu plus tard, nouvelle envolée de Thériault pour dédaigner *Le berceau-cercueil* de la gagnante du CLF! Qu'elle appellera Théberge au lieu de Roberge en ondes. Nouveau malaise de ma part. Je sais bien qu'à Pivot, c'est parfois l'empoignade entre invités mais je ne me sens pas encore prêt pour laisser aller ces querelles littéraires. Hélas? Sans doute. Dans six mois ou un an, je sais que ce sera possible. Je suis trop jeune encore dans ce métier.

Au moment où j'écris ces lignes, coup d'œil de diversion dans le nouveau quotidien montréalais *Le Matin* (se fera-t-il massacrer par le «milieu»?). Page littéraire, je lis: «L'intellectuel, l'écrivain, de nos jours, a la vie dure: la frivolité lui est interdite; la naïveté et la fraîcheur sont impardonnables; l'innocence suspecte... » D'accord! Et aussi, même article sur un bouquin en collectif: «Les auteurs refusent, hélas, la rhétorique au sens d'Aristote: stratégie, effets, séduction.» D'accord! C'est signé Christian Allègre. Envie de chanter, tellement d'accord, à la Claude Dubois: «J'aurais voulu... j'aurais voulu... » (Paroles de Luc Plamondon, hein?) mais foin de mes *desiderata*, je suis enchaîné dans un carrousel terrifiant certains jours. N'ai plus le temps de trop réfléchir. Bon sang, le temps fuit, c'est vrai.

Dans un livre sur le drôle Parisien, Coluche, montré en vitrine, des lignes me sautent aux yeux. Pendant que le photographe de plateau, Roy, retient Tremblay, Carrier (Carrier qui fut merveilleux de modestie, tantôt, et de drôlerie), je lis: «La plupart des journalistes de la télé, c'est des poudrés, avant d'avoir un stylo ils ont le peigne.» Vaut mieux en rire? Se faire arranger les dents, s'acheter des lunettes à foyer continu, à verres dépolis anti-reflets si possible, oui, Coluche, et se faire poudrer durant les pauses commerciales, tout ça qui m'embête et qui est «de jeu» et au bout de tout ça, lire encore au feuilleton baveux de messire Royer: «L'émission de Jasmin est-elle littéraire? On se le demande après huit diffusions. Il commence à peine à savoir laisser parler ses invités. On vise le plus bas dénominateur commun pour attraper le plus large public. Faudrait plutôt concevoir pour les liseurs qui s'intéressent à la littérature (...) si le show est réussi, d'autres publics s'y intéresseront. (...) Marie Cardinal, le 9, a bien fait la leçon à l'animateur... cette émission était la meilleure de la série jusqu'ici mais il faudrait cesser d'imiter Pivot et trouver sa propre personnalité.»

Le sac est plein. Besoin encore de riposter. Lettre ouverte encore. *La Presse* du 18 novembre la publie, j'y fais allusion à un vieux sketch des Fridolinades sur «le mange-canayen». J'y parle de masochisme du «milieu» livres. J'y dis regretter le manque de soutien de «la colonie» des vendeurs de livres. Bref, je me défoule un brin! Je termine par: «J'espère que toute bile vidée, on va tenter maintenant d'épauler l'effort de Quatre Saisons.» Résultat? Plus un mot pour annoncer la série dans ce feuilleton du *Devoir, Les ondes littéraires*, durant plusieurs semaines. Tant pis! Martel, dans sa chronique des lundis, de *La Presse*, ignore superbement notre émission sur les livres du dimanche!

Madame de et Albert: «Claude, pourquoi tant écrire aux journaux? De grâce!». On m'a changé encore de régisseur! Me parviennent de nouvelles rumeurs de disputes dans l'équipe de réalisation. Manquerait plus que ça! Ça gronde. La famille unie des débuts va-t-elle éclater? Ce n'est pas le bon moment.

Chapitre 19

Taisez-vous et laissez-moi parler!

J'ai déjà constaté ça ailleurs, une émission ne «lève» pas (toute une chaîne ne lève guère) et c'est la chamaille. Rue Rachel (j'y vais deux fois pour préparer les vitrines et pour préparer le déroulement des émissions), on chuchote, tiraillements internes, des coéquipiers se marchent sur les pieds. Je feins de ne pas comprendre et ça ne me concerne pas. Visite chez ma productrice pour lui dire: «Il serait regrettable que ces querelles s'amplifient entre les artisans de notre série!». Elle va y voir et pourtant elle a tant d'autres chats... à canaliser!

Les deux dernières de novembre. André Goosse (dire Gouze), invité du Salon du livre, promène une nouvelle édition, son héritage de gendre et continuateur de Grévisse, de la plus fameuse grammaire française. Gros bonhomme plein de vie, surcultivé, fort sympathique. À ses côtés, le pondeur d'un très fort best-seller, Japrisot, avec *La Passion des femmes*. Dès mon abordage, il veut résister aux questions qui ne lui conviennent pas. J'ai osé avancer que son populaire roman ne contient que «baisouillage» et guère de sentiment, tendresse, etc. Il se raidit aussitôt, s'agite du bout du fessier! Je tente de reformuler plus clairement cette absence d'amour. Il éclate: «Taisez-vous! Laissez-moi parler!»

Pour des semaines, dans mes entourages, sa protestation servira désormais de taquinerie maison. On me la répétera *ad nauseam*! Pas grave! J'aime taquiner et être taquiné. Son livre se vendra fameusement. Déjà, à sa visite ici, c'est un succès, il n'y avait donc aucun risque de nuire à son histoire de femmes en pâmoison automatique pour un fuyard à la santé sexuelle fracassante. Ce jour-là, avec Sébastien Japrisot, «ma» Polonaise favorite, Alice Pozsnanska-Parizeau; elle «relève» d'un vicieux papier-critique du *Devoir* auquel elle a bien fait de répondre publiquement. Nous parlons de *L'Amour d'Alice*, un bref roman du temps de l'affreux ghetto de Varsovie. Une vue particulière, une fillette «trompée» par sa mère qui se jette dans la Résistance à la *viva la muerte*! Japrisot la prendra à témoin à quelques reprises, dédaignant l'animateur, jouant du «N'est-ce pas, madame, qu'entre écrivains nous nous comprenons à fond?» Autre sujet de moquerie dans mes entourages: «Je ne suis pas un écrivain et Japrisot l'a bien senti!» Comme il a raison! Un éditeur belge, André Versaille, habile commis voyageur, en profitera pour dire: «Voyez votre besoin d'union? Ma série de livres veut exactement illustrer ce fait. Les écrivains parlent fort bien des autres écrivains.» Il a raison?

Jacques Godbout, en août, avait déclaré en quittant le studio: «C'est bien. Ça va marcher cette série!» Voilà qu'on en a fait plus de la moitié, nous enregistrons ce jour-là la quinzième et la seizième; bientôt décembre, le réseau devait donner signe de vie quant à la prolongation, au renouvellement du contrat, de la série. Rien ne viendra. Décembre s'écoulera, les 8 et 22 de ce mois, nous ferons donc quatre autres *Claude, Albert...*, ce sera la vingtième émission «en boîte» et ce sera toujours le silence le plus compact de «Grand manitou» et ses sbires.

Revenons au studio de novembre. À notre affiche, en soirée, une émission qui me fait peur. Cinq historiens.

J'ai lu plus de mille pages en dix jours. Albert, au gré des rentrées éditoriales, a jugé bon d'amener sur les divans gris un Marcel Fournier parlant de nos premiers «modernes», ceux d'avant la dite Révolution tranquille, un François Ricard publiant, en collectif, le dernier tome de sa vivante histoire du Québec, un Louis Balthasar, lui aussi publiant sa «version» historique de nos débats idéologiques sous l'angle, c'est fameux, de nos différentes vagues nationalistes. Il y en aurait eu quatre! Vagues déferlantes. Lisez-le!

Enfin, je devrai questionner aussi Louis Rousseau, un des auteurs d'un livre d'histoire sur le «sacré» ici, et enfin, Suzan Mann Trofimenkoff qui fournit sa vision, mal traduite dira-t-elle, à propos de notre histoire québécoise. Elle saura, sans fanatisme, montrer l'effort, souvent ignoré dans les manuels, des femmes agissantes d'ici. Féminisme de bon aloi.

Je suis énervé, les sujets se croisent, les thèmes se chevauchent. Je crains l'impair, je redoute le mélange de sujets et de leurs auteurs. Je suis vraiment un peu beaucoup paniqué. Je ne serai pas fier du tout de cette course à six! Quand cette émission sera diffusée, eh bien, ce sera la vive protestation, venue de l'être le plus cher de mon existence. Ma compagne toute désolée: «Franchement, Claude, tu devrais te trouver un autre job!» Aïe! Je grimperai à l'étage du chalet en cœur saignant. Je sais bien que son jugement est forcément d'une totale subjectivité, elle souhaite tant me voir réussir dans ce nouveau métier. N'empêche, je m'endormirai très... très tard ce dimanche-là.

Foin de chronologie, hein? Le dimanche 22 février 1987, Raymonde et moi regardons le (bien long) Lorenzaccio de Musset-Faucher à la SRC. À 22 h, intuition, un coup de zipping vers TQS et, surprise!, la vingt-quatrième édition de *Claude, Albert...* roule depuis deux minutes! Raymonde fait partir le magnétoscope pour la suite du téléthéâtre et zip! retour à son homme déguisé en animateur de talk-show. C'est Cousture, Hébert, Godin et Guay, celui qui est «diariste», *dixit* Royer. À la fin: «Claude, tu coupes! Tu coupes! Que tu es énervant!» Encore? Donc, c'est bien fait, «moi congédié»?

Encore du mal à m'endormir. Je suis un énervé, moi? La vérité? Ça me revient, tout me revient. J'énervais ma bande de gamins de la ruelle; une voisine, madame Bégin, empêchera ses fils d'aller jouer avec moi. Ma fille Éliane: «Écoute papa, comment te dire ça? Mes fils t'adorent mais tu les énerves trop, ils dorment mal le jour de ta visite à jeux. Le lendemain, ils restent encore très excités.» Je suis un énervant? Je voulais être un animateur. Dans les centres récréatifs, un gardien moniteur, M. Pommier: «Franchement, fais-en pas trop, quand tu quittes le centre Hibernia, on reste pris avec une bande d'agités.» La vérité, mon vieux! Souviens-toi encore, à la taverne Royale, voulant continuer l'énervé Buissonneau, ces séances d'excitation générale. Certains camarades changèrent de taverne pour avoir la paix à l'heure du lunch! Un énervant énerveur?

On ne change guère? Oui, ça me revient. Quand nous quittons des amis, dans la voiture, je dis à Raymonde: «On a rigolé, non?» Chaque fois, elle: «Oui, oui mais, mon amour, tu laisses pas parler les amis, tu tires sans cesse le crachoir de ton bord. C'est fâcheux, j'ai vu des grimaces.» Diable, je suis un énervant? Avec deux autres couples, nous avions formé «le groupe des sept» (sept avec la venue d'une charmante célibataire, Josée). Quelques années de franche rigolade, les tours qu'on se jouait. Tant rire! Il faudra que je raconte un jour. Ailleurs. Un des «sept» inventait une rabelaisienne machine à péter... À nos réunions mensuelles ou aux vacances d'été au bord de la mer, Raymonde qui me répétait souvent: «Laisse parler les autres. Tu les exaspères. T'en fais trop!»

Je me réveille enfin? On veut tant ne pas être ennuyeux. Voltaire qui proclamait: «Tous les genres... sauf le genre ennuyeux!» Avoir lu dans une biographie de Marcel Pagnol, animateur et menteur: «Eh quoi? Est-ce que c'est ennuyeux, mes histoires?» Ses convives de protester aussitôt: «Jamais de la vie!» Pagnol: «Alors? C'est ce qui compte!» L'affiche de Jouvet dans ses coulisses: «Il est interdit d'ennuyer le public», plus grosse que les autres interdictions d'usage en fond de théâtre. C'est cela: craindre sans cesse l'ennui. Ailleurs, à la télé?, si souvent avoir entendu le ron-ron monotone en émissions dites culturelles. Avoir horreur de ça!

Rester lucide, en convenir une bonne fois pour toutes, je suis un énervé en studio. La foule n'a pas apprécié.

Une certaine hâte de vous raconter le temps de la fuite en avant. Rumeur s'amplifiant de non-renouvellement de mon contrat, je cours à gauche, à droite, rat survolté, je dis «oui» à toutes les suggestions. Exemples: j'expédie une pièce sur Rimbaud-mort un peu partout. Je rédige deux projets de série dramatique et les copies vont se promener au 2, au 10 et au «siège» de la rue Fullum. Je rédige une émission pilote en vue d'un mélo-radio sous la houlette de Jean Faubert. Je téléphone à Tachereau de *Le Matin*. Je songe à contacter CKAC pour y aller critiquer la télé puisque la Petrowski s'installe au studio subventionné de New York afin d'y pondre son premier roman. Quoi encore? J'en oublie. Ah oui! Une synopsis sur commande sur la vie du comique Guimond. Fuite en avant! Un vrai fou. Rat survolté, oui. Qu'est-ce qui m'a pris? Je ne m'analyse pas quotidiennement. C'est la panique ou quoi? J'y suis, un moyen de m'étourdir, ne pas faire face à l'échec, à l'écroulement du vieux rêve qui avait pris enfin corps, que je n'ai pas su mener vers un long cours. Pauvre de nous! Je songe à tous ces créateurs se démenant sans cesse, voltigeant d'un projet à l'autre, pleins d'espoir, n'en finissant plus de rêver, d'attendre le «oui» d'un quelconque producteur.

Madame de qui me dira, en février, chaudement: «Écoutez Claude, avant tout vous êtes un auteur, j'espère que vous viendrez soumettre à la SDA un projet de feuilleton ou autre chose.» Aveu encore: je ne dis pas «oui». Je suis devenu méfiant, je n'y peux rien. Cette satanée SDA, me disais-je ce jour-là, elle aurait pu mieux me défendre, voire faire des menaces apprenant qu'on veut lui changer son «merveilleux animateur»! Tête heureuse.

Chapitre 20
À moi mes bons astrologues!

Adieu novembre! À une table ronde du Salon du livre, je retrouve Sébastien Japrisot, haute fouine à la voix rauque, l'ex-Italien de Marseille est de fort bonne humeur. Il est amusé. Il vient d'apprendre que j'ai écrit mon lot de romans et s'excuse. Plus tôt, en coulisses de cette Place Bonaventure, mi-figue, mi-raisin, je confie à l'animateur du Salon, Gérard-Marie Boivin: «J'ai des envies de laisser tomber la télé. C'est pas vraiment ma hache, je le crains. Toi, tu y serais bon... » On cherche à se faire rassurer et on entend l'autre: «Bien, je ne dirais pas non, si vraiment... »

Au sein du panel de la place centrale, me voilà qui interrompt encore hardiment l'animateur, qui pose «mes» questions sur ce thème du jour: «cinéma et écrivains.» Incorrigible? Boivin rigole. Je m'en excuse: «Déformation professionnelle», souris-je!

Adieu novembre donc! Rue Rachel, Albert: «Ça y est! On aura Anne Hébert en studio fin décembre. Pour René Lévesque, ce même jour, c'est plus compliqué. Il y a navette incessante entre la relationniste de son éditeur et «le grand homme». Il semble que le nouvel auteur refuse de s'installer aux côtés de Gérard Pelletier, pourtant mémorialiste lui aussi. On verra. Je garde le contact.»

Début décembre, Albert décide de faire léger. Il explique: «Une émission de veille du nouvel an. J'ai reçu, avec beaucoup d'almanachs, d'agendas et de calendriers illustrés, quelques bouquins de prédictions pour 1987.» Mais oui, soyons éclectiques. Il y aura d'autres grincements de dents dans la chapelle ardente des littérateurs purs! Je me retrouverai, 8 décembre, entouré de joyeux drilles. Après «la mère Michel», voici «la mère Minou», Louise Haley, habillée de noir et d'orangé, qui m'adresse plein de sourires sous son déguisement de sorcière *halloween*. Elle raffole des caméras et des micros et s'apprête, non sans humour, à nous avertir des catastrophes astrologiques pour 1987. Avec *Madame Minou*, Andrée D'amour, bien coiffée, est venue... faire la même chose! Aux divans, Pierre Pépin, sérieux comme un pape, publie un livre invitant tout un chacun à se déterminer par son zodiaque, chez soi, cartes du ciel en sus! Non, c'est pas cher! Atmosphère détendue en studio. Les bonnes fées du sort incertain veillent!

Il paraît qu'en coulisses, on a déjà fait parler cartes du ciel, et tarots, boule et dés, sur la question: «Cette série va-t-elle mourir? *Quatre Saisons* va-t-il remonter la pénible côte des cotes?» Mon quatrième invité se nomme Maurice Poulain. Son livre, *Le grand monarque*, n'hésite guère à pronostiquer la venue d'un messie (anti ou antéchrist) qui serait né en février 1964. Où? Mais ici, au Québec! Nostradamus y aurait songé. Ce jeune Poulain, barbu, offre le visage d'un jeune moine inspiré. C'est vraiment une émission légère. Eh bien, en cours de conversations croisées, je verrai que ces pythonisses ergotent le plus sérieusement du monde, courbes calculées, compas zigzaguant dans la galaxie de nos onze planètes. On ne badine pas avec les astres, je vous jure. C'est dit: «Foutaise que ces *horoscopes* des quotidiens populaires, il y a exploitation!» Mes invités condamnent en chœur le manque de rigueur de ces divinations fourre-tout. Eux triment dur, mettent des heures à tracer laborieusement, et chiffres cabalistiques en aide, les bons et les mauvais jours de l'an qui vient.

L'auteur du *Grand monarque*, regard tiqueur comme l'animateur, n'est pas moins fébrile. Il avoue n'en avoir pas fini de ses calculs mais il perçoit le profil de ce Harmaguedon infernal qui pourrait contredire l'Apocalypse et être plutôt un vrai sauveur «royal», monarque bénéfique... Brrr! on guettera l'arrivée de ce nouveau Jésus!

Oui, l'émission baigne dans l'huile, craques et mutuelle entente alternent. Je maintiens la barre entre les éclats du scepticisme et le doute respectueux de commande.

La secte des «purs» aurait-elle raison? Surprise, plus tard, de constater qu'en cette veille du Jour de l'an, il n'y aura plus, en soirée, qu'une petite douzaine de mille spectateurs pour ces devins interrogateurs du ciel astrologique. Albert s'en mordra les pouces? Mystère de la destinée «recherchale». Nos pythonisses auraient pu nous prévenir, nous aurions annulé!

Après le show, tarots s'étalant, des membres de l'équipe viennent aussitôt questionner ce studio delphien, on congédie tant à *Quatre Saisons*! Mère Minou insiste pour me tirer au sort: la carte d'un diable m'apparaît! La mort ensuite, les maisons vibrent! J'écoute l'oracle, orange et noir, l'esprit ailleurs. Après souper, une émission à faire qui me rend plutôt fragile, le monde des businessmen! La vogue de l'entreprenariat. Les «piastres à faire», viande à chien!

Il y a deux semaines l'équipe, en accord secret avec ma «blonde», m'organisait une «surprise-party» d'anniversaire. 56 ans! J'y repense. Quartier chinois, l'adjoint Pascal se démenant. Les cadeaux gentils. Enveloppés dans les posters de ma binette! Et, tout de même, une atmosphère d'inquiétude. Le début de la paranoïa? On semble s'acharner à ne pas discuter des allures de la série. À chaque fois que je veux en parler, il se trouve un équipier pour changer de sujet. Comment, alors, ne pas en venir à se croire le seul et unique responsable de nos faibles indices d'écoute! Haro sur le baudet! Le lépreux, le pestiféré, le galeux, qu'on aime bien? Albert ne critique plus rien. Il y a dans l'air de ce bon restaurant chinois un je ne sais quoi... Difficile de nommer avec justesse les façons de mes convives. Il est clair que tous préfèrent parler de n'importe quoi plutôt que de l'émission à laquelle ils sont pourtant tous attachés.

Je prends ce pli et la soirée restera fort agréable.

J'ai compris qu'en ce métier, c'est celui qui se met la face au petit écran qui doit écoper si ça tourne mal. Je ne le savais pas bien. Bah! après tout, n'est-il pas le mieux rémunéré? Après un «flop», de petite ou de grande envergure, rares seront les blâmes des échotiers de tout poil pour décortiquer les responsabilités. Oui, tu oses mettre ta binette sous les réflecteurs? Alors tu passes à la caisse. Tout seul. Je veux bien.

Je reviens à ce lundi de décembre et «aux hommes de commerce». Il a fallu que je lise patiemment une demi-douzaine de volumes sur l'art et les manières d'entrer au «merveilleux monde des affaires». Moi, l'imprévoyant chronique, je vais tantôt devoir questionner des spécialistes en gestion, en planning et marketing. En quoi encore? Comme avec le quintette d'historiens, en ondes, je ne serai pas trop sûr de mes moyens. Un livre porte en titre: *Guerriers de l'émergence.* C'est un lot de témoignages très brefs d'hommes puissants du côté des valeurs mobilières. C'est une jolie PDG, Suzanne Leclair, qui en jasera, hésitante et timide. Daniel Lamarre, un solide gaillard, se devra de clarifier ces domaines divers avec trois livres de lui sur la question à la mode: l'entrepreneurship. Le prof Fortin, de Laval, me perdra dans un dédale affairiste et Pierre Levasseur, lui, vantera les vertus de l'efficace relationnisme. Ouf! Le soir de sa diffusion: Raymonde très mécontente! Avec raison!

Ça m'amusera chaque fois quand notre Albert, avant chaque émission, vrai ministre du culte, viendra s'agenouiller quelques instants sur la tribune, en costume toujours funèbre, pour expliquer aux invités la marche à suivre. Amusant aussi, après chaque émission, d'observer mon «chef toujours sans Indien» tâcher de récupérer les livres les plus coûteux, les plus précieux, de sa chère vitrine. Fâché parfois de l'étourdi, tête heureuse, qui offre trop généreusement ces livres luxueux à nos invités. J'ai une fâcheuse tendance à oublier qu'il ne fallait pas offrir tel ou tel bouquin précieux réservé aux archives de la rue Rachel. Comment alors, dans les normes de la politesse, dire à un invité: «Nous regrettons. C'était un jeu! Ces livres ne doivent pas quitter le studio.» Un divertissement «d'après les sueurs» vraiment, cet Albert-là!

Accord total de nous deux sur un fait: on n'obtient pas beaucoup de publicité de notre réseau à propos de notre émission. De gros placards dans les journaux, soit, pour annoncer un film américain «doublé» à Paris, ou pour *Les Carnets de Louise*, parfois pour *Jolis à croquer*, souvent pour *L'heureux retour*, ou encore, *Rock et Belles oreilles*, *Premières*, *Caméra 86*... L'impression d'être «l'enfant négligé» de TQS. Aussi pas beaucoup de cette auto-publicité sur les ondes mêmes de Quatre Saisons. Pourquoi?

Constatation qui navre surtout Albert et les autres. Moi, tête heureuse, je me dis que cette discrétion publicitaire prouve sans doute que notre série existe pour la parade culturelle obligatoire à la CRTC. Qu'il n'y a pas à s'inquiéter côté public, nous sommes une forme de mécénat de M. Pouliot envers les éditeurs, les libraires et les écrivains. Tête heureuse?

Nous nous préparons à de la grande visite: Anne Hébert! Une diffusion pour avant les Rois, en janvier. René Lévesque! Pour être diffusé avant Noël. Lire *Les Fous de Bassan* et *Attendez que je me rappelle* en même temps, la poésie musclée de l'une et la prosodie retenue, à la fois pudique et agressive, d'un leader si longtemps populaire au pays. Je m'y plonge bien à l'abri des rumeurs sombres dans mon mini-balcon vitré du cottage de la rue Querbes.

Chapitre 21

Joyeux Noël '86 et Bonne année '87

Nos deux plus grosses affluences? Cette émission avec Anne Hébert et, encore plus fort (proche du cent mille en soirée), celle avec René Lévesque. Nous ne saurons jamais les chiffres pour les «reprises» en après-midi. On nous dira: «Multipliez par deux!» Parfois «faut multiplier par trois maintenant, ça marche.» Curieux silence? Les sociétés de sondage ne couvrent pas les matinées de TQS? Faut payer davantage chez BBM ou Nielsen? Moi pas savoir! Anime et tais-toi!

Grands succès donc malgré mes craintes car l'Albert décidait qu'il n'y aurait, fin décembre, que trois invités pour ces deux émissions avec de très lourds défilés de livres en forme de cadeaux des fêtes à nos invités prestigieux. Il ajoutera: «Faudra leur expliquer qu'en réalité nous ne leur offrirons qu'un bel album sur l'art. D'accord?» Bien: «Tu viendras expliquer ce pieux mensonge toi-même!»

Cela me désappointe un peu. Je n'aurai donc pas plus de temps pour les interviews et les tours de table. Marchons. Je ne vais pas pour la 19e et la 20e émission commencer à régenter le dévoué Albert. Lisons, lisons Clavel, Beauchemin, Provencher et Clémence!

Le lundi, 22 décembre, c'est lu, l'amusant bref conte animalier de Bernard Clavel, l'émouvant bref *Du haut de mon arbre* par l'auteur de l'archi-populaire *Le Matou*, Yves Beauchemin, et l'intrigant suspense «policier» de notre prix Médicis, Anne Hébert. J'éprouve un peu d'appréhension de cette visite de la grande dame de nos lettres. On n'a pas cessé de m'expliquer qu'elle n'est guère friande de publicité, qu'elle semble se satisfaire de répondre très laconiquement aux questionneurs du territoire ou de l'étranger. Une sauvageonne, prétend-on autour de moi. Je me rassure comme je peux. Je me dis qu'elle sentira certainement ma grande admiration pour ses *Fous*. Un récit tragique et envoûtant, d'une écriture si particulière, capable ici de détails sordides, là d'images si fortes... Si fortes que mon livre en sera rapidement tout barbouillé, annoté, rempli de «faudrait lire» ou «lui faire lire» ce fabuleux passage.

Un lundi bien froid dehors, dedans, une belle chaleur va s'installer. Ma loge toujours si galamment prêtée par notre chef-technique. Le pantalon de prix! La chemise et le chandail de luxe! «Au maquillage, vite!»

Le film de Simoneau, tiré des *Fous de Bassan*, vient d'arriver à un cinéma d'ici. Pas de place pour l'animateur d'un réseau qui lève si peu, n'est-ce pas? Je préfère. Albert vient dans la loge. On badine. Je lui dis avoir vu madame Hébert ici et là. L'avoir déjà entendue à la radio, ici et là... «Pas grave! Nous, on parle de son livre surtout.» Bon, bon. Il faut bien se faire une raison: pour chaque visiteur prestigieux, c'est évidemment la corrida-médias. Leur attaché de presse vous le traîne d'une station à l'autre à un train d'enfer. Il ne faut pas songer à la moindre exclusivité. Ah, si nous avions les moyens de payer le prix fort, peut-être? Quel ennui pour le public d'ici qui, en quatre jours, voit et revoit, partout, radios et télés, l'invité de marque parce qu'il est en train de faire «campagne» pour un livre, un film ou un disque, qui entend et réentend souvent la même ritournelle, le même refrain.

Alors, il m'arrive de plus en plus souvent de songer que nous avons bien raison d'éviter les questions disons «humaines» et de ne nous concentrer que sur le contenu des ouvrages publiés.

Je fais connaissance avec, encore?, une nouvelle maquilleuse au sous-sol du studio! Chaque fois babillage décontractant, bons moments relaxants. Soudain, nous parlions de ses projets de travail sur des longs métrages, elle me questionne: «Il vous en reste combien?» Je prends conscience du fait: il ne nous reste que trois journées de studio! Six émissions et c'est fini! À moins que... Mais nous ne savons toujours rien des intentions de Quatre Saisons. Il y a autrement plus grave, mon réalisateur Barro vient m'apprendre qu'à partir du prochain jour de studio, il n'y aura plus que quatre pauses de publicité et d'une seule minute chacune. Oh la la! Ça va si mal? Les vendeurs de TQS baissent les pouces? Au souper, une rumeur circule, «Grand manitou» lui-même sera poussé vers la sortie! Je laisse courir cette rumeur et tant d'autres. On ne prête qu'aux malchanceux? À écouter certains ragots, la station elle-même fermerait ses portes sous peu, M. Pouliot serait las de voir filer ses millions!

C'est dans ce climat pas très rassurant que je dis «Oui! On y va!» à mon nouveau régisseur, Michel. Au divan, le sourire illuminé d'Anne Hébert me réchauffe immédiatement. Elle excuse ses verres fumés: «Je supporte difficilement la lumière des spots.» Yves Beauchemin a une poignée de main ferme et virile, Bernard Clavel a sa bonne mine d'ancien boulanger du Jura, ça va bien aller!

Première question, sensibilité extrême et intelligence perspicace de cette femme, Anne Hébert lève aussitôt son beau visage, on dirait, dès la première question, qu'elle rejettera votre propos, non, elle répond, brièvement c'est sûr, mais complètement. L'heureux auteur du *Matou* n'est pas moins ouvert et se raconte modestement. Inutile de souligner longuement la générosité de Clavel, c'est très visible sur toute sa personne, il aime parler et il aime les gens. Un invité modèle!

Nous avons non plus 48 minutes, mais 53 minutes, et le régisseur Michel, vrai Salomon du minutage, règle minutieusement le sablier de justice. Ce sera donc treize pauvres minutes pour chacun de mes invités puisqu'il aura un treize minutes pour cette «distribution de cadeaux», les trois blocs de livres (pour enfants, pour adultes, y compris les albums de bandes dessinées fraîchement édités). Une pile pour Clavel, une pile pour Beauchemin, une pour Hébert. Celle-ci va jouer le jeu avec amusement, bien moins hautaine que certaines vilaines langues me le disaient, vraiment ravie d'avoir tous les textes enfin réunis, de Lewis Carroll, l'immortel créateur de *Alice au pays des merveilles.*

Allons souper.

Reprenons le linge de tous les jours. Au retour, changement de «costume», faire semblant qu'on change de semaine, quoi! On vient me redire que Clémence est arrivée, la drôle Desrochers, qu'elle répète ce qu'elle a dit à notre Albert: elle se demande ce qu'elle vient faire à une émission «littéraire» avec son petit recueil de ses principaux sketches de chansonnière. Baliverne! Nous aurions invité volontiers Aldéric Bourgeois ou Émile Coderre, alias Jean Narrache, s'ils étaient encore vivants! Alors?

Faut y aller, Michel? On y va! René Lévesque, oui, fume! Il me grimace un sourire, me paraît en grande forme. Il revient d'une longue tournée en «terre anglaise», me dit-il, où ses mémoires ne vont pas trop mal dans les librairies. Je fais vite connaissance avec un jeune historien dynamique et débonnaire à la fois, Jean Provencher. Son livre, *C'était l'hiver*, est une merveille, ouvrage d'ethnologue certes mais aussi d'un efficace vulgarisateur. Une lecture étonnante sur les hivers d'autrefois sans aucune nostalgie bébête, des traditions perdues, des situations, des objets, des coutumes. Un album, bien illustré, et qui ferme sa boucle des saisons. Il est aussi l'auteur d'un livre sur Lévesque, ils sont bons amis, m'a-t-on dit. Cela se sentira en cours d'enregistrement et Lévesque dira, en ondes, son admiration pour les quatre livres de Provencher, dont cet *Hiver*.

Quant à ma chère Clémence, comme moi, actrice débutante de *La Roulotte* il y a plus de trente ans, elle me semble tendue. Je la sens inquiète et je m'explique mal cette nervosité. Cette humoriste a pourtant une expérience immense de tous les studios. J'observerai le même phénomène en février quand j'aurai devant moi Plume Latraverse, avec un premier roman, nerveux, pas rassuré de trop. Je reverrai Latraverse, chez Coallier et chez Jolis, détendu; je reverrai Clémence aussi, à une autre antenne, sûre d'elle-même! Ma foi, notre «messe» intimidait? Malgré nous!

Énervez-moi pas! Tête heureuse se dit que ces «pros» des music-halls s'imaginent qu'à une émission (parfois) littéraire, il faut changer de ton, être différent... à la «hauteur» d'une Anne Hébert justement? Ma petite personne (énervée) n'y est absolument pour rien, n'est-ce pas? Une langue de vipère ou un sado-masochiste chuchote Clémence, comme Plume, t'ont déjà vu faire un dimanche soir et ils craignent ta pétarade! Ah non, je ne mange pas de ce pain-là! Puis, voulez-vous tout savoir? En majorité, nos invités me félicitaient, aimaient la série. Pardon? Politesse obligeait? Allez au bonhomme, déstabilisateurs démoniaques. C'est ce que je dis à mes diables intérieurs, envahisseurs certains jours.

À Albert, Clémence aurait fait savoir qu'entre le succès «boeuf» en librairie du *Attendez que je me rappelle* et de ce *Le Matou*, traduit en 23 langues, vendu à des centaines de milliers d'exemplaires en francophonie, elle se sentait... drôle. En tout cas. Face à une Clémence que je reconnais mal, je bafouille un peu. Je cherche un angle. Je balance entre deux tons... Bref, je suis plutôt mécontent de moi. Provencher, lui, sait formuler des réponses vives, claires, bien délimitées. Un plaisir total de questionner ce jeune créateur de si solides albums.

L'ex-Premier ministre est l'homme rompu de tous les pièges journalistiques, on le sait bien. C'est un joueur aguerri qui me fait face et il s'en tient toujours à sa drôle de manière de répondre toujours un peu à côté, la mine boudeuse et, à la fois, chaleureuse. Voulant cerner le thème «du temps des Fêtes», je perçois bien qu'il serait bien plus loquace si j'entrais dans le détail de certains aveux étonnants au plan politique, contenus dans son livre. Ça va vite encore et, encore!, c'est quasiment quinze minutes, à la fin, en distributions de livres cadeaux!

Albert a-t-il omis de les avertir? Nos trois invités demandent des sacs de «magasinage» pour remporter tous ces beaux «prix» de fin d'année à la maison. J'entendrai plus tard un Albert stupéfait, répétant qu'ils «s'en vont avec plusieurs centaines de dollars en albums sur l'art!» Je souris dans ma barbe. Est-ce que je punis inconsciemment mon bon «chef Martin» de son initiative de m'avoir coupé du précieux temps d'interview avec ses volumineuses vitrines du temps des Fêtes? Ma foi,mon âme, ça se pourrait bien! Oh, traître sous-sol du surmoi!

Dure journée, camarades! Durs lundis! Où fait-on deux heures d'émissions dites culturelles le même jour? Où? Je cours vite faire couler l'eau chaude de la baignoire, rue Querbes. «Joyeux Noël», camarades du studio Centre-Ville!

L'envie de chanter, face à ce congé, à la manière de Beau Dommage: «Salut, tit-cul Jasmin, on se reverra le 12 janvier et bonne année, monsieur Royer!»

Nicole de Rochemont me répète ne pas comprendre, ni admettre, ce silence de Quatre Saisons. Fin décembre, la SDA devrait savoir si la série se continuera passé février. Méchant suspense pour des producteurs sérieux, compétents et qui ont, je l'ai dit, bien d'autres fers aux feux. Bizarre! Bizarre! La déléguée de TQS, Michelle Raymond, si gentiment froide à mon égard, ne se montre plus guère au studio. Ah, bonté divine! Je sens que ça ne roule plus sur belles billes d'acier, cette satanée série. Que j'aime tant! Oui, je prends vraiment un grand plaisir à tenter de valoriser, de mousser des livres, d'amener des auteurs souvent mal connus au petit écran, là où on ne les invite à peu près jamais. J'aime mon nouveau métier, je souhaite arriver au plus tôt à le maîtriser de mieux en mieux. Tête heureuse se dit à la veille de l'an nouveau: «Pas de nouvelles, bonnes nouvelles.» Si TQS voulait stopper notre petite machine, ils le diraient maintenant. Le fait d'être sans réponse prouve que TQS est satisfait et que notre série va continuer. Ils ont tant d'autres chats à fouetter. Tant d'émissions (rumeurs, rumeurs) fonctionnent avec plein de pépins dans le fruit. Nous entendons dire tant de choses sur les problèmes, bien plus graves que les nôtres, de certaines émissions qui coûtent, elles, autrement plus cher! Je rentre confiant ce jour-là de fin décembre. Je suis d'une nature optimiste.

Aveux de fin d'année 1986? Confidences? Bonnes résolutions pour la nouvelle année? Comme vous voudrez. Je crains d'avoir l'air bien fâché en ce récit. Pourtant je ne connais pas la rancune qui n'a rien à voir avec la rancœur. Une certaine rancœur, ça, oui, je garde ça. Allez questionner un des accablés de «ma saison en studio», Royer. Une fois, quand je serai chassé de TQS février 87, je le rencontrerai à la proclamation d'un prix littéraire, le Guérin. Il vous le dira, je lui ai fait bon accueil. Certes, à mon avis, il m'a chargé sans répit et il se trompait. Et après? Un adversaire n'est pas un ennemi viscéral.

Malgré tout ce que je raconte plus haut, au temps des Fêtes, je demeurais encore un homme heureux. Je le redis, je flottais.

C'était presque un rêve, j'avais «mon» émission. J'étais comblé, ça dépassait un vieux désir, animer un talk-show un jour. Il y a vingt ans en 1967, avec le réalisateur Pierre Duceppe, j'avais échafaudé un projet fou. Un autre d'avorté. Un de plus. Voici que le hasard, et Guy Fournier, m'avait offert un talk-show sur un sujet qui me captivait, le monde des livres. Un monde qui est une grande part de mon existence depuis *La Corde au cou*, ce Prix du Cercle du Livre de France 1960, un domaine qui m'était si familier. La colonie étrange des écrivains me fascine toujours, me stimule depuis si longtemps. Alors, je vous en prie, lisez bien, lisez comme il faut, je sors d'une saison heureuse. Je reviens d'un voyage électronique où je me sentais à l'aise, d'un stimulant séjour chez les fous de l'écriture, ces maniaques, dont je suis, qui aiment écrire malgré l'empire triomphaliste des images cinétiques. Nous comprenons-nous?

Maintenant, gens de «la colonie», ne lisez pas ceci. Sautez ce passage. Je veux m'adresser au public désigné comme «général» aux amusants avertissements moraux sur les films. Peuple ingrat! Baudelaire a osé dire «peuple nigaud» en son temps. Comme lui, je veux vous le dire: «Peuple nigaud»! Soyons cornélien: «Me suis-je blanchi les cheveux... » en vain? Pourquoi n'êtes-vous pas venus plus nombreux à mon antenne, vous qui m'applaudissiez à Chicoutimi, hôte des Chambres de commerce? Et vous, des Clubs de fermières de Kamouraska et de La Pocatière qui disiez, quand j'y allai, tant m'admirer, tant m'aimer? Et vous, du réseau des bibliothèques publiques, vous de St-Lin, ou de St-Clet, riant de si bon cœur de mes facéties paralittéraires?

J'ai si souvent dit «oui» à vous tous, organisateurs de «visites d'écrivains». Je confesse aujourd'hui que, souvent, je regrettais d'avoir dit «oui» à ces conférences-conversations aux quatre coins du pays. Mais, parole donnée, j'y allais, en Honda!, vers vos centres culturels. Maintenant, qu'est-ce qu'on m'apprend? Pas grand monde à mon antenne? Peuple ingrat, nation nigaude! Toi, Albert le pondéré, tais-toi, je sais bien que tu voudrais me retenir une fois de plus, laisse-moi parler. Pourquoi, un peu partout, m'avez-vous accueilli si volontiers, avec vos «petits fours» et votre vin pétillant (j'ai horreur des vins pétillants!)? Je m'étais dit en entrant en studio la première fois que vous alliez tous être présents à nos rendez-vous du dimanche et que vous alliez répandre la bonne nouvelle: «Oyez, oyez! Ce Jasmin, si drôle, si sympathique, n'est-ce pas, qui est venu chez nous en visite, un soir, on va pouvoir l'encourager tous les dimanches.»

Je rêvais donc encore? Tête heureuse? J'ai fait le rigolo à *Galaxie*, et à quel autre quiz?, assumant le mépris des sérieux collègues en écriture, en me disant: «Je vais me bâtir un immense public!» De la «schnoutte»?

Vous regardiez ailleurs? Quoi donc? Quelle traduction postsynchronisée b'en «cheap»? À quel canal, peuple ingrat? Avoir su... j'aurais pas venu, disait un gavroche. Bien raison, Réjean! Réjean Ducharme, bravo! Tu as bien fait de rester caché. Mes pitreries ne m'ont servi à rien. C'est toi qui avais raison de jouer ainsi «le romancier invisible» du pays.

À propos, je disais souvent à mon Albert-chef: «Faut que tu m'obtiennes Réjean Ducharme, ce serait «le hit des hits»! Pauvre cloche! Le talentueux «Réjean-Mystère» peut bien crever, conduire un taxi à Longueuil (ou ailleurs!) pour survivre, pas un gredin pour s'en soucier.

De 1977 à 1980, j'allais rédiger en cachette du canal 2, rue Monsabré, chez Réal Giguère, mon synoptiseur pour *Dominique* (la série numéro 1 trois ans au canal 10). Vive le succès? Non! Soudainement éclateront des lamentations publiées des comédiens. Masochisme. Giguère écœuré, et moi itou. En ce moment même, tel auteur (Michel Faure? l'ami André Dubois?) verra aussi sa série tourner quenouille et cherchera longtemps pourquoi! Nous faisons un curieux métier, n'est-ce pas Jean-Baptiste Poquelin, de vouloir plaire? Séduire? «Salut à toi, dame bêtise!» chante donc encore, Brel! Salut à vous, camarades virés, qu'on ne remerciera pas. Au pays sauvage, on ne dit pas «merci», on dit: «Dehors!» sans explication. Que ça fait du bien le défoulement.

Congé des Fêtes. Je me démène. Je quémande sa visite à un folichon génial à l'occasion, le Foglia de *La Presse*. Venir en studio? Sa réponse, que je respecte: «Non, merci, je laisse aux autres le soin de faire les clowns à la télé, etc.» À peu près de cette encre. Bravo, le bien planqué! Je crois aujourd'hui qu'il a eu raison. À quoi bon? À quoi bon se traîner à Matane pour deux cents collégiens? Si j'avais su! Guerre des boutons! Boutons de démangeaison idiote. Si j'avais su...

Au Jour de l'an, j'invite chez moi ma productrice, son adjoint et mon «chef cuisinier» Albert. Vague impression, ce soir-là, de vouloir faire tenir de force, seul, quelque chose qui se déglingue.

Bonne année 1987? On verra bien. J'aimais tant ce beau métier, rencontrer publiquement des confrères en angoisses scripturaires. Chers écrivains!

Je voudrais revenir sur ce que j'ai écrit plus haut. L'énervant! C'est pas vraiment tout à fait comme ça. Je ne sais trop comment m'expliquer. C'est ridicule. La crainte de faire de Raymonde mon cerbère le plus cruel. C'est autre chose. Cette femme a réussi à me stabiliser. Je lui dois tout. C'est la femme patiente des années 60, qui ouvrait grammaire, dictionnaires quand le paresseux jouisseur se fiait à sa seule intuition pour tous ses premiers romans. Raymonde a le droit par amour d'être dure, impitoyable même, elle me connaît si bien. Je lui fais confiance même, quand, par amour, elle est d'une excessive sévérité. J'en ai besoin. Celui qui a la chance d'avoir trouvé un être de cette sorte me comprendra.

Avant cette saison à Quatre Saisons, retraité précoce, je racontais (allô, rétro!) les débuts de la télé d'ici dans *La Presse* du dimanche matin et soudain, je me trouvais replongé! Ça reprenait. Ce n'était pas fini encore, studio, caméras, décors et compagnie! J'avais cru à une vraie retraite.

Bon. À nos moutons!

Le nouvel an approchait, il en restait donc six à faire. J'allais m'y mettre avec fougue, avec confiance, même si tous les entourages prédisaient: «Ça reviendra pas. C'est la fin.» Bonne année! Et bientôt «Adieu l'ami», pour reprendre un titre de Japrisot, celui du «Laissez-moi parler! Taisez-vous!»

Visite d'avant-Noël au mouroir de la petite rue Labelle. Maman lucide ce jour-là. «Qu'est-ce que tu fais ces temps-ci, mon petit gars?» Moi: «Ouof! comme toujours, je raconte des histoires, m'man.» Elle: «Toi et tes histoires! Tu faisais si peur à tes petites sœurs à l'heure du coucher, tu t'en souviens?» Même elle, ma mère! C'est donc vrai, j'empêche de dormir? L'énerveur? On ne change guère?

Terrible d'entendre cette rumeur? Le réseau TQS voudrait peut-être garder la série mais changer son animateur. Celui qui ose le premier, franc, m'informer de cette charmante réorientation en est gêné.

Aussi je dirai un jour à ma productrice: «J'espère que TQS, si c'est fondé, n'agira pas comme on a fait avec d'autres engagés, qu'on me laissera annoncer que je démissionne pour retourner à l'écriture, mon premier métier.»

Longtemps après, quand la rumeur sera une réalité: «Claude, vous pouvez bien maintenant annoncer que c'est vous qui démissionnez, c'est ce que vous souhaitiez, n'est-ce pas?». Chère Nicole! tête heureuse à ses heures, elle aussi? Ce qui me la rendrait bien sympathique. J'aime les têtes heureuses, les innocents qui vont en voulant ignorer «les méchants qui calculent dans l'ombre». Avec toutes ces fuites dans les journaux, il aurait été niais de feindre les démissionnaires.

En haut lieu, on jouera de ce pieux mensonge bientôt quand, quelle surprise n'est-ce pas?, Manitou lui-même se fera éjecter du réseau. Pardon: il démissionnera!

Il y a un fait qui m'est resté sur l'estomac. Deux jours avant l'annonce officielle faite à la victime, la déléguée TQS, Michelle Raymond, raconte au chef des dramatiques de la SRC: «Jasmin? Il va démissionner sous peu, il s'en va rédiger du feuilleton pour Télé-Métropole.»

Faux ragot? Calcul encore? Quand on me répète ce bobard, je bondis sur le téléphone pour protester auprès de Nicole de: «Madame Raymond ne doit pas répandre que j'ai du travail au canal 10, ce qui est faux, surtout pas devant le chef des dramatiques de la SRC, là où justement j'ai soumis projet sur projet.» Quelle nuisance! Il n'y aura pas d'excuses. Le sort, le mien, était jeté? Sans doute, sans doute... Qu'il est difficile toujours d'avoir l'heure juste, vous le savez bien, «camarades en projets» de toutes sortes!

Ah, et puis merde!, je dois lire, lire, lire... la prose des psychologues, la riche prose des Ricard et Trudel. Au boulot, «Pivot local», au boulot! L'atmosphère devenait un peu plus saturée de ces méchantes suppositions, il m'était un peu moins facile de me concentrer sur les livres fraîchement sortis de nos imprimeries. Se secouer et lire, lire...

* * *

Se souvenir. Bientôt, un jour, ce sera bien fini ces fins de certains lundis bien lourds. Le réalisateur Barro qui sortait de sa coquille-régie:

« Reste là. Pas trop fatigué j'espère, c'est pas fini!

— Pas fatigué, épuisé, vidé!

— Ordre du réseau, faut enregistrer deux autres autopublicités, voici les textes approuvés rue Ogilvy.»

Oh, mémoire, encore un coup! Enregistre bien! Je lis. Je ferme les yeux. Je récite. Je retiens. Bientôt fini ce temps-là, ce temps fou?

Chapitre 22
Jeunes clochards célestes et coup de tonnerre

C'est André Barro, mon réalisateur, allant plus souvent que moi rue Rachel, qui confirme les dernières rumeurs. À Quatre Saisons, certains songent en effet à changer la formule de notre série et à changer l'animateur. Et re-bang! Barro fait aussi de la réalisation, rue Ogilvy, pour la série *Premières*, sorte de *Telexart* en moins pressé. Il me parle volontiers des tensions du côté de la Gare Jean-Talon. Les congédiements ont fait naître une psychose du «à quoi bon s'échiner, demain, je serai peut-être renvoyé». Il est atterré comme nous tous quant au silence de TQS à notre égard. Je fais du feu dans la cheminée du chalet. Il s'habitue au goût du pastis! Il suggère si, sait-on jamais?, la série allait au-delà des 26 du présent contrat, une participation différente, il n'est pas heureux du tout d'en être réduit à un rôle de metteur en ondes. Avec raison, il conçoit bien autrement son métier de réalisateur de télé. Il souhaiterait de vraies réunions préalables, un droit de regard normal sur les contenus, bref, une vraie participation aux émissions.

Je lui raconte le tout premier jour quand j'allais rencontrer les deux productrices. Comment j'étais excité en songeant qu'il me faudrait penser le mode d'action de ces émissions, trouver un style original, un décor populiste (c'était mon idée) et aussi trouver quelques recherchistes débrouillards, imaginatifs. Je lui dis donc ma surprise au départ: la formule était trouvée, nous allions imiter *Apostrophes*, la recherche était organisée, il y avait Albert Martin et il serait seul.

Barro, avec un accent de sincérité indubitable, me réaffirme aimer ma manière d'animer, avoir confiance que j'étais en train de corriger certains tics encombrants, bref, ce jour-là, j'étais certain de son appui total si jamais un des «patrons» de TQS décidait d'avoir l'opinion du réalisateur sur «l'animateur de l'année!» Belle chaleur partout dans mon vivoir! Il s'en retourne plus tard dévaler les pentes du Chantecler.

* * *

Voici venu le jour des psychologues! Ce lundi 12 janvier 1987, une «brochette» de *logues* et de *peutes*! Albert a élu quatre bouquins frais sortis des imprimeries. *La Corrida de l'amour*, avec deux chercheuses audacieuses de l'UQUAM qui publient un bref collectif à propos des romances «Harlequin», une transnationale canadienne du roman d'amour. Une plaquette vraiment instructive! Deux auteurs de ce collectif en studio. Hélène s'exprime facilement, Christiane, elle, semble plus réservée, le duo répudie un certain mépris des intellos pour cette chaîne de livres à bon marché «qui, affirment-elles, dépeignent en fin de compte avec plus de vérité qu'on croit l'univers féminin actuel.» Elles en ont étudié des tas et savent de quoi elles parlent. Certes il y a «la recette» à suivre fidèlement mais il s'agirait d'une littérature populaire qui n'est pas «torchée» du tout.

Aux côtés des sérieuses mais spirituelles étudiantes en romances, Michel Dorais, un psychologue œuvrant «sur le terrain» avec les abusés et les abuseurs sexuels. Il publie *Lendemains de la révolution sexuelle*. C'est la découverte qu'il y a autant de problèmes sexuels aujourd'hui qu'avant la grande débâcle du puritanisme nord-américain des années 60. «Ils sont différents, dira Dorais en ondes, mais pas moins nombreux. Au contraire.»

En face du dénigreur de ce faux progrès (mais qui ne souhaite nullement le retour aux tabous), nous installons Louise Saulnier, thérapeute patentée qui publie *Le Guide des amants sensuels*, près de deux cents pages recommandant cent trucs divers pour déniaiser les adeptes de la «position du missionnaire», massages dans des positions incongrues, titillages des glandes, point G, masculin et féminin, mordillages et sucettes, crème Chantilly et usage de «l'écorce intérieure d'une mangue mûre!» Vraiment l'art culinaire dans l'alcôve! On s'en amusera assez.

Je tenterai un moment d'opposer Dorais à Saulnier, j'étais très certain que Dorais allait tirer à boulets rouges sur ce guide écrit à l'huile de coco, mais non! Il lui fera d'exquises politesses. En visite dans un salon, devait-il songer, ce n'est pas le lieu pour l'enguirlandage, surtout pas en présence du public. Hélas pour le pétillant de l'émission! Ses *Lendemains...* sont un livre rempli de bon sens, d'une réflexion saine, une critique intelligente sur sexualité *versus* amour. Je veux encore en recommander chaudement la lecture.

Enfin, à ma droite, un autre psychologue qui travaille, lui, avec certains éclopés des divorces, enfants compris. *Comment négocier avec l'enfant de l'autre* est un court bouquin qui sera fort utile aux nouveaux ménages inquiets de l'intégration harmonieuse des enfants du nouveau partenaire amoureux. L'émission se déroule bien. Il y a de grands rires, des moments de vérité solide. Je sors du studio plutôt satisfait pour aller «à la soupe».

Au retour, au menu du soir : quatre bons romans sur l'angoisse existentielle des jeunes, aujourd'hui. J'ai très hâte.

J'ai osé, cette semaine-là, faire un peu la leçon (moi qui ai en horreur les moralisateurs et les donneurs de leçons) à mon réalisateur lui conseillant de paraître moins sauvageon, d'accepter mieux cet «esprit de famille» inévitable en «compagnies privées», un genre qu'il juge par trop «couvoir» et «couvent de jeunes filles». Il a promis en riant qu'il allait tenter de se socialiser sauce «maternelle joyeuse et aimable garderie». Aussi, ce soir-là, une longue table se rallonge de petites tables et c'est avec bonne humeur que, cette fois, nous sommes vraiment rassemblés, Pascal, Sonya, Sylvia, la scripte Suzanne, la maquilleuse et Madame de avec, en face, «son plus bel animateur». Son meilleur? Sais pas. Jamais de compliments, je l'ai dit. Quand je sombrerai, bientôt, dans ce sale sentiment de «persécution», au bord de la malsaine paranoïa, je deviendrai celui qui doute de la solidarité de toute la bande, Madame de incluse, Albert inclus. Une sottise?

Mi-janvier donc, retour à ma «hot-chair» et la bienvenue à un Yvon Rivard, écrivain surdoué et à la parole articulée. Son livre *Les Silences du corbeau* est un roman envoûtant: un jeune trifluvien s'exile vers Pondichéry et assiste, dubitatif et un peu envieux, à la fondation d'un «ashram» avec une «mère» qui est une séduisante adolescente. Un livre étonnant, passionnant. Même cordiale bienvenue à ce garçon de 23 ans, Sylvain Trudel. *Le Souffle de l'Harmattan* (un vent africain) est une réussite avec ses deux gamins, des orphelins, qui font des fugues oniriques fabuleuses sur des machines à aubes ou à pédales!

En ondes, je découvre que ce jeune et déjà solide créateur a du mal à s'exprimer, il n'en reste pas moins qu'il apportera l'image d'un locuteur, hésitant certes, mais rempli d'imagination fertile. Quel beau conte que ce *Souffle...* ! Quelle joie de tenter de promouvoir un nouveau talent capable, si jeune, de féconder un monde enfantin surréalisant! Avec Rivard et Trudel, je présente aussi *L'Écran brisé*, une singulière aventure, trio de «floués», Alexandre, un «gai» taciturne, Florence au crâne rasé, *maternant* tout de même, et une paralytique au passé de lesbienne incendiée. Un récit résolument moderniste qui fait voir des images tarabiscotées. Louise Fréchette maîtrise mal ce récit à trois existences disloquées mais sait créer des atmosphères inédites. Prenant du métier, elle comptera!

Enfin, quatrième victime de «l'énarvé», Dominique Blondeau qui vient nous présenter *La Poursuite*, aussi maladroite que Louise Fréchette, récit inchoatif, c'est tout de même une histoire hors de l'ordinaire avec un couple de très jeunes amoureux néanmoins désespérés et suicidaires. Les adolescents de Blondeau sont de précoces désabusés, et l'auteure de *La Poursuite* va déclarer en ondes qu'elle a ramassé sa matière sur ce terrain, toujours effrayant, des condamnés à mort volontaires, là où des jeunes ne trouvent plus aucune forme d'humanité tout autour, ne voient qu'un avenir navrant qu'ils vomissent d'avance.

Albert avait thématisé tout cela par «Être ou ne pas être». Excellent résumé de tous ces tristes héros des quatre romans. J'étais tout content, si heureux d'avoir à promouvoir quatre livres de valeur très solide. Je me disais que notre émission trouvait ce jour-là sa véritable vocation, que c'était depuis trop longtemps une aberration, ce vaste silence du pourtant bavard petit écran quand le Québec est capable de contenir tant de forts talents littéraires.

Je quitterai le studio léger, fier de moi. De nous tous. Fier de Guy Fournier qui avait voulu cette série. De TQS qui était, lui, exemplaire. Fier de la vitesse de prises de vue de mon réalisateur. D'Albert, sachant réunir d'un coup de si valables ouvrages littéraires. Oui, je flottais dans ma baignoire, fatigué et, à la fois, tout à fait heureux.

Mais les rumeurs, en fin janvier, allaient s'amplifiant. On allait «scrapper» la série, répétaient les plus inquiets. Encore deux émissions à faire et aucune communication du réseau. Tête heureuse recommandait à ces torturés, rue Rachel, la sérénité.

Le surlendemain, tête heureuse petit-déjeune avec le grand amour de sa vie, il a préparé le café, Raymonde ouvre le journal. Soudain, le rabaisse, me regarde, me dit: «Peux-tu avaler aussi une grosse nouvelle?» Vas-y! Je me dis qu'un autre décès de nos connaissances va hanter nos prochains jours. Elle me passe la page munie de la chronique-télé de Cousineau. Bang! La bien-informée Louise m'avertit en même temps que ses centaines de milliers de lecteurs: «*Les jours de Jasmin à TQS sont comptés!*»

Oh, la, la! Pas de fumée sans feu.

Le lendemain matin, 14 janvier, un voisin sonne rue Querbes, c'est l'interviewer pigiste Louis Chantigny. Il est tôt, très tôt! Je lui ouvre en robe de chambre: «Qu'est-ce qu'il y a?» Chantigny a déjà lu son *Devoir*, lui. Il s'excuse, il me laisse petit-déjeuner, il m'assure qu'il retraversera la rue dans une heure. Lire *Le Devoir*. Je lis. Le bon petit père Royer a fait des téléphones après avoir lu la Cousineau d'hier. Il avait hâte d'une confirmation? Il titre carrément: congédiement! Re-bang!

Avec Royer, ça vient de finir! Il ne compte pas mes jours, c'est zéro! J'ai sans doute tort de n'avoir pas pris le téléphone avant lui! Royer publie qu'il a appris la tenue d'une réunion, rue Ogilvy, à mon sujet, le mardi 13. Ah, je n'ai pas été invité! De quoi je me mêlerais? L'éminence des «entretiens» n'a pas jugé bon de me téléphoner, ne serait-ce qu'une minute. Mais il sait: «C'est le licenciement de l'animateur! On va changer le titre, la série se poursuivra.»

On en apprend dans les gazettes, je vous jure. J'y songe: rue Rachel, on savait peut-être «mon» départ, on aura voulu simplement que je garde le moral? J'avale beaucoup de café.

Je peux te dire, mon brave Rutebeuf, qu'il ventait devant ma porte. Royer n'y va pas de main morte et ne venez pas me dire qu'il était content d'écrire: «Jasmin n'a pas assez amélioré sa performance pour devenir, semble-t-il, un animateur rentable.» Il terminera en ajoutant l'infamie à l'injure: «Jasmin est un écrivain populaire, et un décorateur avant d'être un animateur de télévision. Très nerveux devant la caméra, Jasmin s'est vite fait une réputation de raseur.» Bedang!

Oh, il ventait devant ma porte!

Et s'y représente un Chantigny frétillant, calepin aux pinces. Ce dernier m'annonce qu'il collabore, lui aussi, au *Devoir* sous Jean Dufresne, qu'il vient recueillir, lui, mon sentiment. Mes premières impressions de ce lâchage? Tête heureuse consent volontiers. Je raconte au grand reporter, en chapitres super-elliptiques, ce que je viens de vous narrer. Le reporter pigiste devient enragé noir en apprenant que personne n'a pris la peine de me contacter, ni «Manitou», ni Royer! Il note, il note maugréant, maudissant ces façons de sauvage. Un bon petit baume. Je veux jouer la carte de l'élégance, je lui dis que c'est merveilleux tout de même d'apprendre qu'il y aura encore une série-livres à Quatre Saisons. Après le café, il court chez lui mettre son article au propre. Dès après le lunch, il m'invite à traverser la rue Querbes et comme à un ministre, m'offre de lire son article. Très bien.

Après? Je suis allé jouer dans la neige avec mes petits-fils, côte (côtelette?) du parc Ahuntsic. Un grand bol d'air. Rien de mieux, non? Ce même jour, à dix-huit heures, Manitou enfin au téléphone, celui qui avait tant aimé le premier ruban («bravo! je suis merveilleusement et agréablement surpris!» avait-il proféré l'air heureux de cet échantillon), qui m'avait expédié une brève missive que j'avais aussitôt épinglée au babillard rue Rachel: «Je te trouve christement bon, Claude!» Manitou semble débordé au téléphone. «Est-ce que moi je t'ai congédié, Claude?» Je fais: «Non, pas encore.» Lui: «Alors? On soupèse. Rien n'est coulé dans le bronze. On discute: Toi? Les coûts de votre production? La formule en cours? On discute!» Formidable. Par téléphone, je m'empresse naïvement de rassurer les camarades de la rue Rachel. Nicole de comme Albert, me semble-t-il, restent peu convaincus de ces hésitations fourniéresques. Pourquoi donc? Reviennent les rumeurs, les «tu sais, pauvre ami, Fournier ne pèse plus bien lourd, il est lui-même au bord de la sortie!»

On verra bien. Quand je dirai à Chantigny «il y a valse-hésitation», il gueule dans son téléphone: «Le saligaud! Je lui ai parlé tantôt avant qu'il te téléphone. Il m'a dit ça, cette hésitation. Je l'ai menacé carrément s'ils osaient retirer de leur horaire une série sur les auteurs, tu peux me croire.» C'est le début! Chantigny aussi? Qu'ils gardent la série! Et moi? Moi, c'est pas grave? Cré Chantigny! Merci bien. Avant de raccrocher: «Évidemment, mon article vaut plus rien mais, baptême, téléphone à Dufresne au *Devoir*, fais ça vite!» Non. Ça me gêne. La vérité? Je ne sais plus sur quel côté du tapis roulant et glissant on m'a étendu. La méfiance va s'installer. Tout tenter pour trouver un moyen d'en rire. Difficile.

Fournier-Manitou m'a dit: «Je te reviendrai au début de la semaine qui vient.» Confiance, Cloclo!

Il ne me reviendra plus. Jamais. Deux semaines et demie vont passer. Un bon midi, ce sera officiel; vous verrez, j'en serai soulagé. Oui, débarrassé sur le coup!

Matin, journaux, cigarettes et jus d'orange, je rencontre Jacques Neufeld, l'ami juif qui fit de la Résistance active pendant la guerre, en Provence: «Qu'est-ce que j'ai appris? Fini de faire le guignol à la télé Quatre Machins?» Rire jaune. Me rappeler alors ce Normand Chouinard, polichinelle échevelé me moquant avec talent à *Samedi de rire*. Pour Neufeld qui rage toujours contre l'Holocauste, perdre un job de «guignol», c'est pas bien grave. Nous rions un bon coup sur le trottoir, rue St-Viateur.

Chapitre 23
Comme si de rien n'était

Avant-dernière dure journée au studio Centre-Ville. Le lundi, 26 janvier. On commence à me regarder, à la SDA, comme si j'avais le SIDA! Ça me porte à rire. C'est bien ancré au fond de mon être: perdre ce job d'animateur, c'est pas la fin du monde. Je suis en santé. Raymonde m'aime. Tout le reste n'a pas grande importance. Raymonde commençait à me trouver bon, intéressant: «Une chose sûre, tes émissions passent vite. On ne s'y ennuie jamais une minute». À mes yeux c'est «le» compliment. Vous dirais-je..., je veux vous voir sourire, ma fille et mon fils me trouvaient bon. Gendre et brue aussi. Mes sœurs me félicitaient, même mon père, si égocentrique depuis toujours, me jugeait un excellent animateur. Souriez, insolents! Encore?

Pauvre papa, 82 ans, encore assez solide, demeurant seul au logis natal de «la petite patrie», rue St-Denis, faisant cuire ses bols décorés d'un art naïf chaque semaine. Lors d'une visite en janvier: «Claude! Je t'ai vu à la télé de Radio-Canada, samedi dernier. Tu es bon en comique?» Samedi? Oui, l'excellent acteur me parodiant, chandails au vent et lunettes en l'air, Normand Chouinard à *Samedi de rire* et voilà mon vieux père bien certain que je suis allé chez Deschamps pour me caricaturer moi-même! Je lui explique. Il semble déçu: «Je me disais, il ferait un bon comique!» Je jure sur ...sa tête que c'est la vérité. Ceux qui connaissent un peu mon «rêveur magnifique» l'admettront volontiers.

Bon, c'est pas tout, il faut recevoir deux groupes d'auteurs. D'abord, en matinée, c'est fini le travail de soir désormais, quatre publiants divers. Le Français Jean de Bony avec un livre sur son *dada para-scientifique*, les lignes de la main. Il tient, en ondes, à bien spécifier: la chirologie; rien à voir avec trop de charlatans en chiromancie. Un album étonnant, à caractère un peu savant. Il me déclarera être un «bilieux à tendance nerveuse»! Rien que ça. Avec de Bony, Claude Tedguy, transfuge du monde des lettres et de la philosophie, devenu psychanalyste. Il publie un petit bouquin sur la signification des rêves. Un géant calme, plein de certitudes, détestant le symbolisme amateur de ces «décodeurs populaires de nos cauchemars». Un bon et habile jaseur.

Avec ce chirologue ennemi, comme Tedguy, des charlatans, avec ce décripteur des songes, Ghislain Tremblay. Venu comme ses homonymes du Saguenay-Lac-St-Jean. Comme Albert-le-petit. Ce Tremblay publie *Le Tarot humaniste*, c'est aussi un illustrateur mais sa passion se loge tout entière dans ces vieilles cartes de divination, les célèbres tarots de Marseille. Face aux caméras de *Claude, Albert et les autres*, notre cartomancien se montrera peu disert, peut-être un peu intimidé par les parleurs rationnels que sont Tedguy-les-songes et de Bony-les-mains. Pour compléter ce quatuor sur le thème de «la destinée et ses caprices», Albert a invité André Moreau et son vaste titre *Le Cosmos intérieur*. Ce bouffon volontaire, faisant métier, et gagne-pain, de sa philosophie toute courte, être jovial, tentera, à son habitude, de monologuer à perdre haleine, improvisant, tantôt des évidences simplistes, tantôt du jargon appris en cours de philosophie. Je m'efforcerai de contrecarrer sa manie. Il reste évidemment jovial et garde, face aux facéties d'un Tedguy, son sourire musclé de gras jocrisse, de bouddha toujours rasséréné.

Cette première émission du 26 janvier roule sans anicroche. Jamais, tout au cours de la série, nous n'avons eu à stopper le ruban pour recommencer une interview. Nous filions droit au mot de la fin, bon vent, mauvais vent. C'était la loi, non écrite!

Vite, léger lunch du midi! Dans une heure et des grenailles, on se change, on se fait remaquiller un brin et on l'ouvre de nouveau avec le traditionnel: «Bienvenue à tous...»

C'est merveilleux, voici venir, après le lunch, quatre personnages de romans. D'abord l'homme au journal intime mais sans intimités déplacées, Jean-Pierre Guay. J'avais lu son Tome I, le Tome II reprend le cours de ses notations quotidiennes, c'est une prose a-littéraire. Guay écrit sans cesse: «Les littéraires, tous des bluffeurs! La littérature, un grand bluff inutile!» Mes invités, ceux d'Albert Martin au fond, sont réunis sous une bannière où le «chef» a inscrit: *Littérature ou pas?* En studio, avec Guay qui va jouer superbement l'*under-dog* quand tout le monde le piquera en ondes, une légère chenille à poil, le professeur de lettres et auteur, François Hébert, moustache de colonel en colonie, voix placée et posée, yeux chinois et un formidable petit recueil de fables animalières sans moralisme gnan-gnan, *Le dernier chant de l'avant-dernier dodo*.

Dans le coin droit, allais-je écrire comme si ce faux loft était une arène!!! Bien que, parfois... Dans un coin, Arlette Cousture. Elle a le beau visage de ceux qui ont la paix intérieure. L'ex-jeune journaliste et recherchiste a connu un fort succès de librairie avec un Tome I sur sa famille Caleb. Elle nous offre le Tome II, intitulé *Le Cri de l'oie blanche*. Boulimique narration dans une prose archiconservatrice où il faut supporter les lents et entortillés méandres à psychologisme classique. On y découvre, trop rarement, de fulgurants passages comme celui de cette Blanche, l'héroïne de ce second tome, infirmière intrépide qui ferraille dans l'Abitibi des commencements à la veille de la guerre de 1939. Dans le coin gauche, matois, visage araboïsant, je présente un Marcel Godin à peine tendu, décidé visiblement à collaborer à cette «fin de série» (qu'il apprécie, me confie-t-il lorsque nous serons hors ondes).

Quel plaisir encore une fois! Ne sachant pas vraiment ce qui va m'arriver, j'ai décidé qu'il était temps de paraître davantage ce que je suis d'habitude, pas maquillé, pas grimé. Je ne le regrette pas. Franchement, d'entrée de jeu, je rapproche *Le Cri de l'oie blanche* du téléroman rétro. Protestation de la belle Arlette. Est-elle snob? Ensuite je lui dis que sa saga avec fin heureuse, mariage-récompense, suivait exactement la «trame» exigée chez les aspirants auteurs des romans d'amour Harlequin. Elle fait une moue, proteste encore. Elle est snob? Au lieu de jouer franchement, de me détromper farouchement, je la vois prendre une distance. Hélas, je recule à mon tour. Son gros livre, quoi que j'en dise, sera un autre succès populaire. Je croyais pouvoir l'épointer légèrement, l'amener à mettre du piquant dans l'heure. Ça n'a pas trop fonctionné. Tant pis pour les amateurs de querelles littéraires.

Hébert n'a rien d'un rigolo, il est pointu, lui aussi. Me fera des réponses comme des repoussades et, en l'écoutant, je songerai à un joli porc-épic, à un oursin, à un crabe aussi quand il se refermera peu à peu, quelqu'un du monde de son amusant petit bouquin *Le dernier chant de l'avant-dernier dodo*. (Un oiseau, ce dodo, mauricien en voie d'être porté disparu.) Godin fait voir un aspect rassurant, bonhomme, serein de son personnage de «retraité de tout». On me dira qu'il n'a jamais paru, ailleurs, être tant sympathique. Bien. Enfin, viendra le tour de Guay. Corrida soudain! L'arène! Tous contre un, un contre tous! Je jubile. De la bonne télé, ça!

En fin d'émission, vient donc le tour du «diariste» (ne cherchez pas au Larousse, c'est un néologisme inventé par Royer, une des victimes de Guay, dérivant dans son esprit de diarrhée). Sourire de Guay, mauvais élève, tête de boule, voix nonchalante, l'auteur de *Journal*, Tome II, a décidé de se laisser frapper. Ça ne manquera pas. Je crois qu'il en est ravi. Godin: «Qui veut lire ça, un journal comme ça? À quoi ça sert?» Hébert: «Guay annonce qu'il souhaite cesser d'être écrivain mais annonce à son éditeur dix mille pages à venir. Incohérence!» Il n'y aura que la douce Arlette pour tenter de secourir «l'innocente victime», la proie pourtant consentante qui révèle effrontément tout ce que lui confient ses amis. Et ses ennemis.

Je rentrerai souper «at home with Raymonde» pour paraphraser le titre de cette fascinante pièce de Dubois.

Il n'en reste donc plus que deux à faire. Fournier-Manitou est-il un «sauvage»? Il ne loge aucun appel. Je le saurais, Raymonde m'a offert un répondeur à Noël, idée généreuse que j'allais rester cet animateur bombardé d'appels? La machine de ma belle réalisatrice lui sera désormais plus utile qu'à moi. Nous allons manger rue Bernard, maintenant que les restos s'y multiplient. On saluera un Claude Ryan semblant ployé sous le joug (je joue de la sauce «diariste» de Jean-Pierre Guay). Ce dernier sera le seul auteur à m'écrire personnellement sa sympathie. Tiens, je l'imite encore et je livre impunément du contenu de sa lettre: «À mon avis, vous avez sous-estimé la capacité du poète Jean Royer à brasser, même avec un seul bras, de la merde.»

Il exagère le pamphlétaire anti-fiction de Beauport, non?

Avant de m'endormir, je songe un instant: devrais-je ou non forcer Manitou-Fournier à décider tout de suite? Après tout, je pourrais bien avoir des projets d'écrivain. Ou d'aquarelliste. Me donnera-t-il mes huit jours ou rien du tout? Je m'endors et je tente d'être un sur-rêveur, c'est quelqu'un qui prédirige le contenu de son «sommeil contradictoire». Professeur d'onirisme Tedguy, au secours!

Au matin, drôle de rêve, je suis dans un camp nazi et, avec l'ami Neufeld, nous organisons une fuite en masse, je suis nu et maigre à faire peur. La clé? Sais pas. Chaque hiver, j'engraissais un peu, cet hiver, pour une fois, j'avais maigri. Un détail. Parmi tant d'autres.

Chapitre 24
Deux derniers petits tours?

Au cours de toute cette aventure, cette «saison» de six mois, je n'aurai croisé le proprio de TQS qu'une fois librement. C'était ce jour de la photo de famille. J'avais cru qu'il était «concierge», super-gardien, de ces «surintendants-ingénieurs-en-fournaises» de ma jeunesse. Il se tenait loin, à l'écart de sa toute neuve famille. Il souriait, poli, discret, étranger aux quolibets lancés à la cantonade par son Manitou. Le bon temps. L'innocence. Jean Pouliot, entre les phases de clic! clic!, avait fini par se rapprocher un peu et comme je m'interrogeais sur cette ombre, il m'avait décliné son identité. Parlez-moi d'un multimillionnaire «low-profile». En ce début de février, il y avait des limites, j'avais envie de lui téléphoner. Le droit de connaître mon avenir très immédiat. Bof, me disais-je, il doit être si loin des fourneaux de sa station en furieuse gestation.

Qui contacter puisque mon «employeur» Fournier me laissait dans le noir? L'adjoint-chef René Gilbert? Un homme concret me disait-on? Le bras droit de Jean Pouliot, ce monsieur Chamberland, venu de la Vieille Capitale comme le proprio, fils du célèbre Adrien Pouliot?

Peut-être chez ce jeune André Picard, engagé à TQS récemment, transfuge de Téléfilm, qui était venu «voir ça» au studio un matin de décembre? Laissons passer les heures. Ça ne pourra pas être bien long puisqu'il n'y a plus que deux émissions à faire, pensais-je.

J'étais intrigué, nous n'avions que trois émissions en avance. Ce n'était pas beaucoup. Comment feraient-ils pour «enchaîner» avec un nouvel animateur, un nouveau décor à fabriquer, des livres à dénicher? Albert déjà râlait: «Je reçois presque plus rien des éditeurs, tu comprends, ils ont lu les journaux!»

Jeudi matin, rituel, je vais à la réunion classique pour préparer ce dernier jour à deux tours. Malaise partout dans la «cabane» rénovée, rue Rachel. Déjà, des camarades me regardent comme un fou qui sort de l'asile. Je crains qu'on veuille prendre ma pression en voyant une Suzanne au regard troublé dès mon entrée. Bah! café, lait, sucre. On s'installe. Albert se fait attendre. Barro et moi, comme tous ces jeudis, minutons exactement les présentations et les «vitrines» de lundi prochain. Enfin, Albert s'amène, l'air d'un chat qui a avalé une méchante souris! Téléphone en fin de réunion: «Madame de veut absolument que tu passes par son bureau avant de partir. N'oublie pas.»

Ça y est? Elle sait? Et c'est: kaputt? TQS a tranché? Enfin!

Mon réalisateur guettera mon retour. Lui aussi, il me dit «ne pas savoir» s'il restera! Il a donc aussi hâte que moi de savoir. «Ça sera pas long, tu me connais», lui dis-je. Albert a fui.

Madame de me remercie des compliments pour son nouveau bureau car la filiale de SDA, rue Rachel, s'agrandit. Les projets s'étoffent. «Je vous en prie (fini le «cher animateur»?), prenez place, Claude.»

Les mots résonnent un peu. Enfin, enfin! Quatre Saisons a pris la décision. C'est bien fini. Madame de: «Quatre Saisons, oui, veut recevoir une nouvelle formule avec un nouvel animateur. Je crois que si nous pouvions dénicher une femme, ce serait mieux. Ainsi, on ferait moins de rapport avec vous. C'est vrai, non?» Vrai.

Tout est vrai. Salut! Au revoir! Je me sentais, très franchement, délivré. Et le lundi suivant, 9 février, j'irai dire aux techniciens qui me regardent, eux aussi, avec une certaine compassion: «Je me sens, les gars, comme un écolier qui va partir en vacances, croyez-moi.» C'était la vérité, il y avait tant de semaines que je voulais savoir. Je rageais un peu contre Manitou, celui qui m'avait permis ce formidable essai. (Formidable, à mes yeux bien entendu.) Je venais de vivre une expérience que j'avais souhaité vivre depuis tant d'années. C'était fait.

Maintenant, au boulot pour ce dernier séjour sous une grille à spots. Le matin, des invités excitants, le voyou officiel de la chanson, Plume Latraverse. J'avais lu avec un immense plaisir son audacieux collage, sa cour des miracles pleine de silhouettes pathétiques, drôles. J'aime tant Rimbaud. Dans *Contes gouttes*, il y en a de bonnes et savoureuses traces. J'aime tant Kérouac. Latraverse est de sa bande. J'aime tant Louis-Ferdinand Céline, ici et là, dans ce premier livre, on peut entendre son cri féroce. J'aime tant François Cavanna quand il raconte sa jeunesse. Je retrouvais déréliction et compassion emmêlées. Dès ce premier roman, Latraverse trouve son ton bien à lui, tout à fait «québécois». C'est comme lire les meilleurs morceaux de Pierre Foglia, s'en mettre d'un seul coup des centaines de pages. Bravo!

Avec Plume, j'accueille, ce matin du 9 février, le nouveau Pierre Vallières, longtemps héros des révoltés. Avec *Les héritiers de Papineau*, le converti Vallières rédige un long «rapport d'existence» d'une merveilleuse franchise. À la fin de son bouleversant témoignage chronologique, il nous parle d'une lumière qu'il retrouve, qu'il avait égarée en enfance, il parle d'une paix retrouvée et son livre en devient une formidable confession autocritique.

Mes deux autres invités publics sont deux poètes. *Blues notes*, du journaliste François Piazza, «rapaille» efficacement quelques tableaux brossés parfois avec nostalgie, parfois avec une cruelle ironie, chevalet planté partout, rue Rachel tiens, mais aussi en Provence comme dans un dancing-bar minable où les danseuses guidounes se métamorphosent en mythes aguichants. Du bon boulot d'un observateur attendri sous ses dehors de hyène, de chat sauvage, de marmotte dépeignée. Chapeau!

L'autre poète publie *Apparences*. Jacques Boulerice, cousin d'un Queneau, d'un Prévert (il admettra en ondes les estimer beaucoup) offre un calepin d'annotations. Celles d'un simple passant, passant partout, Complexe Desjardins ou boulevard Laurier à St-Jean (où il enseigne), Terrasse Dufferin, ou dépeignant des enfants qui s'amusent tout bonnement sur la glace, fondante hélas, d'une rivière *La Richelieu*. Du bon.

Je m'y jette. Je serai un «pro». Je fais comme si j'allais continuer encore longtemps la pratique d'un si beau métier.

En allant à un dernier lunch, rue Bishop, se dire: «Qu'ils s'en bûchent, un animateur de ma sorte!» Tête heureuse, c'est pas fini ça?

Ce matin, au début, juste avec le «Silence partout!» du régisseur, je glissais rapidement: «Aidez-moi, faisons en sorte, mes amis, que cette dernière soit la meilleure!». Boulerice et Piazza m'adressent un bon sourire empreint de sympathie. Les émissions ne sont pas diffusées toujours dans l'ordre des enregistrements et cette visite des Plume et Vallières, c'est décidé, sera vraiment la «der des der». Elle était à mes yeux bien équilibrée. J'étais fier de cet Albert rassembleur comme je l'ai été le plus souvent. Je savais bien, à ce propos, qu'il y avait autour de lui de bonnes âmes pour lui dénigrer «cet affreux présentateur», de même, moi aussi, je croisais de ces esprits grognons blâmant les choix de «ce con de Martin». On s'en parlait et, bons complices, on en riait, se moquant de ces «diviseurs pour mieux régner». Chaque mois, pour quatre occasions, devoir parcourir toutes ces publications (moisson si souvent échevelée allant de l'historiette mélo jusqu'au savant traité d'un ésotérisant sociologue), Martin devait faire le tri, absolument décider d'une thématique et ensuite s'arranger pour convaincre huit ou dix auteurs divers à venir en studio à une heure précise, un jour précis. Facile pour ses envieux de jouer la fine bouche et de lui faire mille reproches.

Lirez-vous le magnifique charivari de Latraverse? Je voudrais tant que ce présent récit puisse aussi, encore, donner le goût de la lecture québécoise à trop d'indifférents. Mes derniers efforts, joints entre autres à ceux d'un Martel, ce patient liseur émérite (il a ses préférences certes lui aussi, à bas les robots) qui suit avec une attention si permanente la production de nos éditeurs.

Après le lunch, voici du travail plus... moins... Albert, ça lui arrivait parfois, décide d'un panel plutôt surprenant. Le monde des bêtes par exemple! Je marche à la rencontre de mes quatre derniers invités, on va faire la vingt-sixième et dernière émission. J'ai aperçu sur des tables en coulisses des bouteilles d'un nectar mousseux, de larges assiettées d'amuse-bouche (Madame du Coffre déteste «amuse-gueule»), je devine qu'on va fêter cette «finale». Autour de moi donc, les amis des animaux! Louise Beaudin, jeune et fort jolie médecin vétérinaire qui publie une sorte de manifeste pour condamner le peu de soins apportés aux encagés d'un zoo, Granby. Ça se lit comme un bon petit *thriller*. C'est scandaleux. C'est navrant. Les dirigeants d'un zoo songent davantage au spectacle rentable qu'à la santé de leurs pensionnaires à ailes, à sabots ou à cornes.

Avec Beaudin est venu Bernard Genest, un ethnologue attaché aux Affaires culturelles et, publié par le Musée de l'Homme du Québec, il offre un album illustré consacré à un animalier, Wilfrid Richard, un sculpteur naïf, primitif. Sur les tables à verres d'eau, quelques spécimens candides décorent notre aire. Un très jeune vétérinaire, historien pour l'occasion, Michel Pépin, publie toute l'histoire, avec force anecdotes hilarantes, de la médecine vétérinaire depuis ses balbutiements. Enfin, du Pacifique est venu aussi un journaliste, Allan Herscovici, pour nous offrir un document fouillé relatant certaines honteuses manipulations (de bonne foi et pour de bons motifs) d'écologistes dont ceux de Green-peace. Son propos est instructif en diable nous révélant des tactiques mélodramatiques, arrangées avec le gars des vues, pour faire saigner des bébés phoques par exemple et tant de cœurs sensibles comme celui de Brigitte Bardot.

Avec un pareil thème, aucun trac chez moi. Albert a-t-il eu cette délicatesse de m'offrir pour «adieu aux ondes» ce choix d'invités? Très à l'aise, Louise Beaudin a l'habitude des studios ayant été aussi à Granby «la» relationniste du zoo, Herscovici aussi est familier des interviews. Cela se déroule donc avec grâce. Je termine par mon «à la semaine prochaine» puisque cette émission ne sera pas, en ondes, vraiment la dernière.

C'est ce matin, voyant le régisseur me signaler, index sur index (il ne me restait plus que trente secondes), que je sursaute prenant conscience qu'il me fallait improviser un «adieu». Le faire sans trop de pathos surtout. Je me contentai de remercier «les autres», mes coéquipiers, et «le public, pas assez nombreux», je tenais à le signaler en ondes, qui nous avait été fidèle.

Ces quatre amis des bêtes restent dans les coulisses avec nous tous, on videra quelques coupes, j'avale goulûment des sandwiches aux œufs. Madame de remercie chaudement l'équipe, Sonya m'apporte un formulaire à fisc. Un T4, vous savez? Je fourre le papier dans ma poche, c'est un symbole de «fin de party»?

En route pour la maison, j'ouvre mais referme aussitôt la radio de l'auto. Je ne veux plus rien entendre. Je suis oui, soulagé, moins pesant, vraiment débarrassé. De quoi donc au juste? Je songe que je ne serai plus obligé de lire tous les jours, de «barbouiller» de notes les livres que je lirai librement désormais. Je songe que c'est bien terminé poudrettes, et crèmes, mais surtout ce stress toujours un peu effroyable quand un régisseur se colle à la caméra 2 et tonne: «Attention, silence partout! Dans dix secondes, neuf, huit...»

Raymonde (et je verrai ça souvent avec des camarades, des amis) me regarde arriver avec des yeux qui, il me semble, disent: «Tu vas t'en sortir? Tu vas avaler cet échec? Tu te sens comment?» Alors, la niaise pudeur, rigoler, ricaner, déclarer sans cesse: «Je suis enfin délivré.» Comme on écrit dans les romans Harlequin: «Mais son cœur lui criait: Menteur! Menteur!»

Mais oui, c'était comme une histoire d'amour. Une qui s'était déroulée pas vraiment à mon goût. Vous avez vécu ça? Le lendemain on se réveille et on est un peu amer. Le monde, lui, continue à tourner comme d'habitude. Plus tard, on trouve qu'il a bien raison. Qu'il ne vous est pas arrivé une bien grosse catastrophe.

Si, un peu, au moins un peu, ému, vous me dites: «Qu'est-ce que je pourrais faire pour vous, l'ex-animateur?», je vous dirai ceci: «Je vous en prie, promettez-moi de lire, au moins, Dubois, Godbout, Savoie, Gagnon, Rioux, Nepveu, Anne Hébert, Tremblay, Thériault, Dupré, Parizeau, Fréchette, Trudel, Rivard, Piazza, Boulerice, des livres d'ici d'une qualité rare.

Vous n'aimez pas lire à propos de détresse, d'inquiétude métaphysique? Bien, promettez-moi de lire alors au moins les joyeux Carrier, Laferrière, Garneau, Abitbol, Lafortune, Beauchemin, Clavel, Latraverse, Clémence, Guay, François Hébert, Boisvenue.

Vous n'aimez guère la fiction? Très bien, lire au moins Dussault, Gravel, Conway-Leblanc, Langlais, Diane Hébert, Lavoie, Tétreau, Bigras, Carpentier, Ricard, Fournier, Rousseau, Balthasar, Dahan, Blondeau, Dorais, Pépin et Genest, sans oublier, ça va de soi, Reeves et Jacquard.

J'ai eu de la chance: rencontrer, en six mois, cent douze personnes qui écrivent, qui publient, lire quarante-six livres de grande qualité, d'autres quand même intéressants, jamais banals. On peut penser qu'il reste encore beaucoup d'autres lectures, *Albert, Claude et les autres* devaient s'en tenir à des thèmes.

Au Québec, répétons-le, il se publie quatre mille livres, mille sont des ouvrages littéraires, c'est magnifique, vous ne croyez pas?

Ce soir du 9 février, nous mangeons encore «italien» et Raymonde soudain verse des larmes! Je m'empresse de lui dire: «Non! Je t'en prie! Je suis bien. Je suis léger. Je suis libre comme avant l'appel de mon cher «sauvage», Fournier, en mai '86 quand il m'annonçait: «Vas-y, ils t'attendent. Sois un peu baveux, subjectif, surtout pas plate»! J'ai essayé d'être «pas plate!» Tu as admis que ces heures passaient vite, merci et ne pleure pas.» De quoi aurions-nous l'air? Tu te souviens de Brel chantant à son ami Jeff, et de nous deux, à Florence,

Plaza del Popolo, pleurant à chaudes larmes, en mai 1980, du «non» à nous-mêmes, lu dans les journaux parisiens de la veille? Le serveur italien n'osant plus s'approcher croyant à une vilaine querelle d'amoureux? Pleure pas, Raymonde, c'est rien du tout.»

Chapitre 25
Dernières éphémérides?

Apercevant un bouffon, cheveux à la Gilles Vigneault, gestes désarticulés, le verbe plutôt survolté, apercevant l'acteur Chouinard qui vous caricature ce samedi soir «pour rire», vous souriez d'abord et puis, mais oui, vous examinez attentivement. Ce croquis de vous, ce portrait à charge ne contiendrait-il pas une leçon? Vous cherchez, vous fouillez ce pantin du petit écran. Vanité? Vous trouvez qu'il exagère beaucoup. Surtout qu'il vous vieillit. J'interromps le rire de ma compagne: «Est-ce que j'ai l'air si vieux que ça?» La venimeuse: «B'en, c'est plutôt ressemblant, mon pauvre amour!» On se referme, une huître. Rue Rachel, vous requestionnez avec des: «Oui, oui, c'était drôle, très amusant mais on a arrangé le Chouinard comme si j'étais nonagénaire, pensez pas?» Les camarades protestent: «Ah non, non! En plan long, c'était vraiment frappant de ressemblance. On a tellement ri... » Tous des venimeux. On ne se voit pas, vous le savez bien, cela a été écrit ailleurs. Même bien en face de son miroir, chaque matin, c'est un autre qu'on voit. Qui? Celui qu'on a trop connu? Qu'on ressent à sa seule et unique façon. Quoi? *Je* est vraiment un autre, cher Rimbaud? L'animateur (tous les artistes?) qui se regarde sur l'écran, petit ou grand je le sais mieux maintenant, regarde un autre «je». Un double? Un clone? Bizarre impression, je vous jure. Dès les premières diffusions, on se fait des serments: fini de tiquer des yeux, intolérable ça, fini de trop jouer avec les lunettes, fini (des insignifiances d'abord) de laisser pousser ces sourcils à la Groucho Marx... Et puis, plus graves, encore des promesses: fini d'interrompre, fini de mal écouter l'autre. C'est trop tard aujourd'hui.

Jongler, plus tard, inutilement, un peu malsain: est-ce qu'avant l'ultime rencontre avec Nicole de Rochemont, le jeudi 5 février, les «autres» savaient déjà? La veille, le mercredi 4, quand j'allai préparer les dernières vitrines, me mentaient-ils tous, Sylvia, Pascal, Suzanne, Albert quand j'avais clamé: «La compagnie SDA n'est pas une binerie? On devrait exiger une réponse à ce suspense idiot!» Ils savaient peut-être. Ah oui, un début de paranoïa! J'insistai lourdement: «Madame de a le droit d'exiger une réponse, trouvez pas?» On me ménageait encore?

Terminé. Dernier jour: «Nicole, qu'allez-vous faire du linge de votre ex-animateur?» Très doucement, ne pas froisser la victime de TQS: «Écoutez bien, je peux vendre à 10% de la valeur, c'est la coutume chez SDA après une production.» Pour trois billets de cent, je me retrouverai habillé, ma foi, pour des années à venir. J'achète. L'enseigne-néon du *Claude, Albert et les autres?* Inutilisable évidemment. On m'en fera cadeau, si je veux. Dans un placard de la rue Rachel, des piles de posters inutilisables désormais. Je les ramasse. Pour mon éditeur à un Salon du livre? Il restera quelques pièces du mobilier du «loft» à vendre? J'y penserai. Merci.

Louise Cousineau instruit ses lecteurs: «C'est bel et bien terminé.» Royer à son tour republie «ma fin», le samedi 21 février. Il va en profiter pour signaler la parution dans «Livre d'ici» du double coup de pied, La France et Thériault. Toujours si bienveillant à mon égard. L'avant-veille du 21 au lancement des nouvelles éditions littéraires chez Guérin, il me sourit, belle belette; belle façon de part et d'autre. Je l'ai dit plus haut, pas de place pour la rancune, c'est si encombrant. Un peu de rancœur seulement.

Maintenant je me sentais comme en convalescence. Une idée trotte, ne plus rien faire. Devenir un vrai retraité, aller jouer tous les jours avec les petits-fils dans la belle île de la Visitation au Sault. Je suis allé récupérer à l'entrepôt de la SDA ma vingtaine de tableaux qui ornaient les murs du loft en studio, on dirait que je les aime moins. Bizarre! Les descendre dans un coin de la cave, près de l'amoncellement de livres lus depuis 6 mois. Cadavres?

Surprise, de plus en plus de camarades qui m'arrêtent: «C'était bon, ton émission. J'aimais bien. C'est regrettable.» Merci. Merci. Chante donc, Fabienne: «On est seul au monde, les uns contre les autres.» Chantons. Je tourne en rond. Subitement n'avoir plus de devoir de lire à tout prix. Ça fait drôle. Courrier: une lettre de Madame Brind'amour et retour de ma pièce sur Rimbaud: «J'ai questionné des jeunes de mes alentours, hélas, personne ne sait plus qui est Arthur Rimbaud, alors... regrets!» Merci. Des tiroirs remplis de textes refusés. Le lot de tous les écrivants.

On veut me voir à Télé-Métropole chez le «développeur» de projets: «Ce feuilleton sur les coulisses, c'est non. Il y aurait du masochisme à illustrer ces problèmes. Le Québec est fragile, vous savez. Aux États-Unis, oui, ils peuvent y aller carrément, pas ici.» Prix de consolation: «Nous serions intéressés à lire votre synopsis pour une mini-série sur Olivier Guimond, ça vous intéresserait?» Et comment donc! Le lendemain, besoin de diversion, c'est fait avec un Tit-Zoune sur vélo, jouant le Freddy du canal 10, sous sa tente d'oxygène... etc. Pas de réponse encore. Gyslaine et Jean Faubert m'invitent à la rédaction d'un projet de radio-roman. Je dis toujours «oui», moi. On fait une pilote à CJMS. Sondage maison et refus encore. «Pas grave, papi, on a nos bâtons, pas vrai?» Cher petit David! Nous nous baladons tous les deux au-dessus du mont Royal, il découvre la ville à ses pieds, mon «petit prince». Il crie le nom de son père à pleins poumons: «Marcooooo!» Les enfants me rendent toujours fou de joie. Bon. Je tourne en rond. Six mois sans toucher à ma machine IBM, sélectric. C'est trop?

L'idée me prend: raconter cette saison en studio. Pourquoi pas? Essayer d'être léger. Ce sera difficile? On verra. Je révèle ce projet à mes ex-coéquipiers, ils rigolent tous: «On a hâte de lire ça, pas de gaffe, hein?». J'espère bien que non, ce fut un voyage stimulant malgré les pépins-TQS.

Chapitre 26
En guise d'épilogue?

Je m'ennuie déjà du studio? Pas vraiment. C'est bien fini. Repos. Je l'ai dit, je me sentais comme un étudiant en fin d'année académique. Je me répétais pourtant: récréation! Fin des cours! Congé! Vacances. Oui, j'avais le cœur plutôt léger.

Je ne suis pas du tout le genre «braillard». Je savais que jamais je n'aurais besoin en six mois de recourir à «Manitou». Si par hasard une chose clochait, même gravement, je suis bâti pour chialer auprès du responsable immédiat. En trente ans de service pour la SRC, je n'ai jamais porté plainte «en haut lieu». Des camarades le faisaient, «sous les jupes de papa patron». «Miaow», l'tit voisin m'a tordu un bras, popa!» On m'a déjà soufflé que c'était un tort, qu'un «boss» aime bien voir ses «petits» venir se lamenter. Diviser pour régner? Vieille chanson. L'envie de lui changer son nom, «Sauvage» au lieu de «Manitou». Il aurait pu me contacter, un coup de fil.

Ainsi va la vie médiatique. J'ai toujours supposé qu'à Paris ou à Los Angeles, ce pourrait être bien pire. Impitoyable «milieu». Un citron, pressez fort. Et jetez! Un briquet... à une piastre, il grince un peu? À la poubelle! C'est arrivé à d'autres. Se consoler en se comparant. Ce dernier lundi matin, en entrant pour la dernière fois en studio, picotement. Côté âme? Je croisais un de nos invités de «dernière», Pierre Vallières, je sais que lui, il le souligne dans *Les héritiers de*

Papineau, il s'est trouvé de l'âme. Il me semble serein, plus clair. Raffermi? Dieu. J'y ai toujours cru. Seul efficace paratonnerre contre tous les sauvages de l'existence. Ça va se cicatriser. Comme le reste.

Me méfier constamment de la paranoïa, du complexe de persécution. J'en ai trop vu dans le «milieu» de ces grands persécutés. Misérable façon pour baisser les bras. Je me secoue. Allons, allons. Ça persiste. Je tente de me concentrer sur mes notes. Cette charmante, très charmeuse, Michèle Raymond, la déléguée de TQS, pas là pour les adieux? C'est clair. Elle n'a jamais aimé mes façons de faire? C'est reparti. On tente alors de se remémorer une phrase, un regard dur, un visage froid, lors de la huitième?, non, après la dixième... Ridicule.

Albert, comme refermé, trop silencieux en janvier. Il a collaboré à mon départ? Lui aussi! Brutus? Se souvenir tout de même de quelques mots, un midi, derrière son «fish and chips», rue Bishop: «On fait un bon boulot. Tu fais du bon travail. Impossible de trouver mieux.» Alors qui? L'avenante «duchesse» aux yeux si clairs? Ça se pourrait? Après tout, je n'étais pas «son» choix, j'étais «l'envoyé spécial» de Guy Fournier. En juin 86, je me souviens, la liste des candidats; faite par qui? Par Madame de? Mon nom n'y figurait pas. Était-ce une excuse polie: «Comme tant de gens, je vous croyais lié comme employé permanent de la SRC. On a déjà glissé votre nom à une réunion et quelqu'un avait souligné: «Jasmin est un fonctionnaire de la télé d'État.»

Encombrant, ce qui s'additionne sournoisement, qui fait que, tout d'un coup, vous soupçonnez un complot. Une sourde conspiration. Il y a que j'aimais ce neuf métier. Que c'était un bonheur. Lire, recevoir des créateurs, tenter, le plus généreusement possible (je trouvais, je le redis, Jean-Pierre Ferland si généreux à *Station-Soleil* avec ses collègues en chanson) de mousser les livres de mes collègues, plus jeunes que moi la plupart du temps. Faire ce que, si souvent, j'avais voulu que l'on fasse à mes débuts d'auteur. J'aimais jouer ce rôle. Il m'était naturel. Fini. Je chasse toute idée noire.

Le réalisateur, la scripte, le recherchiste, ça ne me quitte pas, tous m'observent le 9 février, se demandant: «Va-t-il chialer? Va-t-il craquer?» Avale, c'est vraiment terminé. Après le studio, après le «champagne» près du cercueil-décor, refuser un instant la réalité. Vite réveillé par un: «On va te regretter, tu verras.» Merci, photographe Jean-Pierre! Ma compagne qui a versé quelques larmes à la *spaghetata* de la rue Laurier. J'en suis bouleversé. Pourquoi est-ce que je ne pleure pas un petit peu? Horreur! Avoir été élevé comme tant de «petits mâles». Un genou en sang, quitter le parc Jarry sans une larme. Ma mère: «Voyons, fais pas cette moue. T'es pas une fillette! Fais un homme de toi!» Faire un homme de soi? Un programme pour la vie? Se faire programmer. Dans les années '30, facile: comment on devient un vrai homme, c'est simple: ne jamais pleurer. L'éducation du temps.

Fin de février. Je vais acheter mes journaux rue St-Viateur, toujours à la même heure. Ma compagne fait sa toilette. Un rituel, depuis une dizaine d'années que je vis avec Raymonde, préparer, au moins les petits déjeuners. Même cette «cuisine» rudimentaire, je ne la fais pas trop bien. Aucun talent vraiment côté culinaire. J'ai essayé. Deux «fours». Une lasagne pas terrible, une autre fois, une recette Lise Payette, «nouilles au porc pour vieux garçons», qui fut un désastre. Une promesse: je suis disponible, suivre le cours du prof Bernard? Il me fait peur. «Haute cuisine» chez lui, non? Un jour, peut-être. Puisque je suis libre, ce serait le temps de combler cette lacune. L'éducation encore des années '30, pas même le droit de toucher à la poignée de la «glacière».

Le cri de ma chère Germaine: «Touche pas! c'est pas l'affaire des hommes, ça, mon petit garçon. Je t'appellerai quand le repas sera servi.»

Ce matin, rues pleines de neige encore. Je tente de prendre un nouveau pas. Je ralentis. Je respire. Je suis libre. Je voudrais devenir un quinquagénaire très calme. Je voudrais me convaincre de «retraiter» vraiment. Brosser de gentils tableaux bien surréalistes. Après ce livre-ci, un autre roman? Ou bien tenir un journal, comme ce fou heureux de Jean-Pierre Guay, il semble s'amuser ferme à sa quotidienne manie de tout noter.

J'ai presque peur du téléphone. Qu'on me dise: «Votre projet est accepté. À l'ouvrage!» Comment arriver à me défaire de mon vice, écrire toujours?

Chapitre 27
Le vrai mot de la fin

Il n'y a pas que les enfants pour m'émouvoir. J'ai croisé, il y a quatre jours, une grande jeune fille en sortant du parc des Hirondelles juste à l'est de la rue Iberville. En un seul moment, j'ai vu dans ses yeux et de la foi et de la détresse. Quel âge? Dix-sept ans, dix-huit peut-être? Un autre de ces regards juvéniles où, pourtant, on sent une pointe d'angoisse. Chaque fois une envie de parler à ces jeunes qui vont, on dirait, sans but précis, qui doivent se poser de ces questions qui nous hantaient aussi à la veille d'entrer dans la vie adulte. Comment bien trouver les mots qui pourraient les rassurer? La crainte de passer pour un de ces vieux marlous dragueurs.

Avant-hier encore, un rôdeur, dans un parking souterrain, l'adolescent au bout de son temps de vraie jeunesse. Vingt ans, vingt et un peut-être et encore ces yeux sombres, méfiants même. Il m'a jeté un regard où je me suis imaginé lire une haine diffuse. La haine de tout ce qui l'entoure déjà? Vouloir lui parler, l'aborder carrément, jouer le jeu du vieil optimiste, lui dire: Faut pas t'en faire mon gars, tu vas voir, ça va s'aplanir peu à peu toute cette angoisse de devoir vieillir. J'ai connu, comme tous les «vieux» que tu croises, cette panique au moment de sortir définitivement de ce qu'il faut bien nommer l'âge d'innocence.

Lui expliquer que c'est pas trop effrayant au bout du compte, qu'il va vivre des bouts de bonheur, qu'il va trouver un peu de satisfaction. Il me fait songer, ce jeune homme, au paletot trop serré, miteux, à tous ces écoliers des «secondaires», des «polyvalentes» où je me faisais comme un devoir, fort agréable dans les années '60 ou '70, d'aller jaser. Que c'était un spectacle et stimulant et douloureux à la fois! Monter sur les tribunes et parler moins des livres qu'on a pondus que de la vie tout bonnement. Enseigner un optimisme primaire, pourtant essentiel, si on veut voir toute cette jeunesse entreprendre la traversée de l'existence, ici. Émouvant spectacle de jeunes têtes de cégépiens qui sont toujours prêts à chahuter, à vous contredire et puis, par miracle, réussir à les garder attentifs parce que vous dites: «Vous allez voir, ce n'est pas si terrible, la vie. Nourrissez des rêves et accrochez-vous.»

Hier, être allé de nouveau chez Éliane, ma fille, redécouvrir le joyeux tintamarre de trois jeunes enfants, et votre enfant à vous qui est devenue cette jeune mère débordée, liste d'épicerie dans les dents, voiturette au milieu du salon, qui vous jette soudain un regard curieux: «T'es pas trop démoli, j'espère papa?» «Non, non, que vous lui dites, ça va très bien. Allégé.» Parler aussitôt de comment pouvoir revenir et garder, et surveiller, et savoir amuser sa marmaille piaffante pour qu'elle puisse prendre toute une journée libre, avec son homme, le «Marcoooooo!» du cri sur le mont Royal de son plus «vieux», David, qui n'a que quatre ans! Comment?

Et ça s'arrange. Les grands-parents transformés en gardiens, en jardiniers d'enfants de leurs enfants, la belle chaîne de vie!

Aujourd'hui même, à midi, c'est le fils, Daniel, qui vous téléphone. À sa manufacture de néons, on manque de gaz. «Je peux passer, oui?» Comment donc! On ne se voit jamais assez. Il est devant vous, il vient d'avoir trente ans, à peine. Il me semble que c'est moi à trente ans. Monsieur Albert Jacquard me dément: «L'héritage génétique n'est qu'un boulier plein de hasards». Hum, fâcheux ça! Se continuer. Je l'observe pendant qu'il me parle de ses projets: avoir des lapins, poules et quoi encore?, sur cette fermette qu'il vient d'acheter au bord de la rivière Duchêne, derrière St-Eustache. Je me revois à trente ans. Bien plus nerveux que lui, au bord de ce qu'il faut bien appeler une carrière, alors qu'en écriture, c'est moins qu'une carrière, c'est un champ sauvage dévasté, je viens de l'apprendre une fois de plus. Il avait, quoi? quinze ans?, il bâtissait et déconstruisait tout. Il était d'accord alors, il irait à Polytechnique, il serait ingénieur. La réalité d'un être, votre fils ou un autre. Il ira plutôt vers les communications, fourre-tout si amusant pour les adolescents, têtes heureuses d'illusions. Puis ce sera le cinéma. Un jour, retour de New York, ce sera l'art pop du néon, une galerie à inaugurer rue St-Laurent. Mode qui fleurira.

Je l'observe, il me semble heureux. Seule chose qui importe. Me souvenir, il avait vingt ans: «T'aurais aimé, p'pa, que je fasse quoi?» Lui répondre: «Tu feras ce que tu voudras. Pourvu que tu sois heureux. Menuisier, maçon, ce que tu voudras. Essayer d'être heureux, c'est l'essentiel.» S'en souvient-il? Je lui parle de ce récit que je rédige. Daniel a son crasse sourire, de celui qui s'amuse de voir toujours le bonhomme à sa machine à écrire. Il m'avait dit au début de l'an dernier, quand je lui disais ébaucher quelques projets: «Pourquoi tu t'arrêtes pas, p'pa? Ça fait pitié, ça, jamais tu vas décider de te reposer, d'accrocher tes patins?» Je n'avais pas compris. Quoi? J'étais jeune, j'étais encore bien capable de rêver, de rêvasser, d'avoir encore des projets. M'avait-il rangé dans l'armoire aux grands-pères radoteurs et fainéants?

Il s'expliquera: «C'est qu'il me semble, moi, rendu à un certain âge, je ferai plus que me reposer, voyager. Fini de quêter aux autres...» Il me parle durement des producteurs, des décideurs, des jurys qu'il a connus un peu quand il rêvait de faire un troisième court métrage. Je sais bien qu'il a raison. Nous sommes tous là, les doigts au-dessus de nos claviers à lettres attendant que cette terrible faune des produiseurs nous crie: «Go!» Rien à faire, je suis, je reste de l'autre côté de la barrière, côté créateurs bien zélés. Que voulez-vous, madame, monsieur? Des mots en forme de larmes? Des phrases en forme de rires? Beaucoup de gags? Oh! Beaucoup de réalisme, hein? Oui, oui, pas trop de poésie, c'est entendu.

Pauvres de nous des confréries d'écriveurs!

Un matin, on se dit: «Sale métier.» Un autre: «Le plus beau métier du monde!», parce que ça coule, ça coule de source et les têtes heureuses s'imaginent (chante encore Léo Ferré!) que des campanules sont des fleurs de la Passion!

Daniel retourne à son atelier de néons décoratifs. Je n'ai pas su lui dire ceci: que j'écrivais tout cela pour lui. Pour lui aussi. Pour Éliane, les petits-fils. Pour Raymonde à qui je ne disais pas tout au cours de cette *saison en studio*. Pour Marco, pour la belle Lynn à Daniel, pour papa égocentrique génial qui ne me lira pas, pour maman qui ne sait plus lire à la Résidence St-Georges. Pour ceux qui, à cette télé, m'aimaient bien et que je ne connais pas. Pour toi, hypocrite lecteur, mon frère, ma sœur. À bientôt?

J'ai remis le manuscrit de ce récit vécu, j'ai mis un point final... Pourtant, cette satanée «saison» me poursuit un peu. Ainsi, hier, je reçois ma carte officielle, je suis membre de l'Union des artistes, permis bien accumulés (il en faut une trentaine). Quoi faire avec? La faire encadrer, avec dorure, et l'installer sur ma cheminée?

Quoi encore? Enfin, enfin, 34 jours après avoir appris que TQS voulait un nouvel animateur — et sans que personne veuille m'expliquer pourquoi «je ne fais plus l'affaire» — un coup de fil de Quatre Saisons. La déléguée, Michelle Raymond: «Deux choses, monsieur Jasmin, vous dire «merci pour tout» et vous annoncer que votre remplaçant est enfin choisi, ce sera Clémence Desrochers.» Nous raccrochons.

«Merci pour tout»? Envie de répondre tantôt: «De rien!» Le lendemain matin, je lis chez Louise Cousineau qu'il y aura trois écrivains face à notre «comique» nationale, aussi une «vedette» nommée «lecteur privilégié» puisque, n'est-ce pas, les écrivains sont d'obscurs tâcherons? Qu'il y aura moins de livres à la vitrine de la fin. Le chercheur thématique des *Dimanches de Clémence* reste le même.

Déjà, autour de moi, le murmure fétide d'une certaine grogne, alors je me dis «ça recommence dans les chapelles ardentes du monde littéraire?» Mais cette fois ce n'est plus contre moi! Bon débarras, je sors, le printemps qui s'installe enfin; quelle saison excitante pour tous les Québécois, la plus belle saison après ce si long hiver; quel débarras!

Cette fois, juré, craché, c'est un point final.

FIN

Février-mars, 1987

Ste-Adèle, Outremont.

Achevé d'imprimer
en l'an mil neuf cent quatre-vingt-sept
sur les presses des ateliers Guérin.
Montréal, Canada.